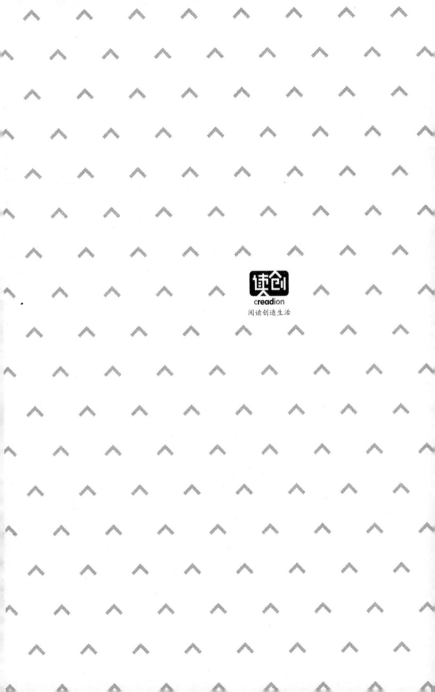

Change Your Clothes,
Change Your Life

Because You Can't
Go Naked

—

George Brescia

[美]
乔治·布雷西亚
著

红霞
译

改变你的服装，改变你的生活

北京联合出版公司
Beijing United Publishing Co.,Ltd.

目录 contents

目录

Chapter 4　**色彩的力量**——寻找适合你的颜色

Chapter 5　**衣橱大清理**——驯服你的衣橱

Chapter 6 **新的开始——开始购物!**

Chapter 7 **他的全新开始——给你男伴的时尚搭配指南**

Chapter 8　崭新的你——展现你所寻求的变化

[前言] 好的装束可以改变你的生活

这本书不会介绍服装风格和时尚。

我重申一次，这本书不会介绍服装风格和时尚。

这是一本教你去观察的书。这是一本关于你与外部世界的关系的书。这本书会给你的外表带来条理与和谐，进而改变你的内在世界。这本书教我们如何以自己的方式生活。这本书教我们怎样发挥潜力，全力把握每一天。这是一本关于改变的书。

从这本书里你会学到穿衣打扮的规则、技巧和捷径，会学到哪种颜色适合你。然而，读这本书，你不需要对服装风格感兴趣。事实上，你对服装风格越不感兴趣，就越需要这本书。因为服装风格本身并不是最终目的，相反，它是一扇大门，通往你所追求的改变。通过改变服装来改变自己的生活是可能的。

现在的你可能觉得目标遥不可及。你知道自己将经历的转变会非常巨大，然而，这些转变会通过一系列小的变化来实现。这些变化能产生立竿见影的效果。**我之所以敢这么说，是因为我一次又一次地看到这些转变迅速地改变了一个人的生活。**

即时性是我喜欢形象设计师这份工作最重要的原因之一。我能够用一下午的时间切实地改变一个人在他人眼中的形象，从而改变他的生活经历，这是一件非常有影响力的事。一位客户的母亲含泪告诉我，她和她丈夫等我等了一辈子，遇到我之后，他们的女儿终于像他们希望看到的那样穿得像个漂亮的姑娘了。另外一位客户则在彻底地改变服装颜色之后向我反馈，说同事对她的态度立刻发生了重大转变，大家和她微笑、打招呼、闲聊的次数增加了，周末走在小区里的感觉也完全不同了。平时脾气不好的红酒店老板也放下账簿告诉她，她看起来跟以前不一样了，而这种不一样具体在哪里他也说不清道不明。他还告诉她，她的气色看起来非常不错。

我也曾见过好装束的影响远远超过一天、一周甚至一年。以珍妮为例，当我见到这个单身女孩时，她所穿的衣服不适合她的身材，也无法表明她担任公共关系主管这一值得尊敬的职位。当然，这也对她寻偶没有一点帮助。在我跟她合作的那年，她遇到今生的挚爱，并嫁给了他——她现在的丈夫。她和丈夫在聚会上被介绍相识，聚会上，我让她穿了一条红色丝绸系带裙，佩戴了很多黄金饰品。珍妮是一个好的例子，证明女性能通过漂亮的服装吸引眼球并从中获益。然而，珍妮不是我所见到过的通过改变服装给生活带来重大改变的第一位女性，也不会是最后一位。

好的装束可以改变你的生活

—

你已经知道了好装束的力量，每位女性都知道。当你走出房间，好的装束会让你感觉良好。你没有必要把剩下的一天都用来照镜子、自拍和思考自己所穿的衣服。你只需要开始工作，觉得自己很漂亮，外加跳跃的步伐，其他人就会注意到你。你也不清楚是因为你稍稍自信了一点，还是确实是整个世界都在朝你微笑，这一天就莫名其妙地过得不错。

能证明好装束的影响力的证据就在你的直觉里。这也是有科学依据的。研究表明，那些普遍被认为有吸引力的人在面试中更容易成功，优先获得升舱待遇的机会更多，甚至更容易被安排到整个餐厅中位置最好的餐桌。对于这一现象，科学家们通常强调面部对称和"美丽"这个不可名状的特质，但是忽视了服装在一定程度上呈现了你的自然美，从而深深地影响着你一天的收获。

这就是好装束的力量，甚至比这还要强大。

我写这本书最大的目的就是让你每天都体会到无可争议的完美装束给你带来的感受，让你体会到轻盈的步伐、自信的感觉；让你带着轻松、充满期待的心情打开衣柜门，而不是让你感到害怕；让你走出门时感觉可以征服世界。这些最终会改变你僵化的心态，从而慢慢改变你生活的方方面面。

服装风格是一种语言

一

我接触过形形色色的客户，也和许多女性演员合作。我发现造型师这份工作和我所做的所有事情都密切相关，因为它会引发许多关于感觉的问题。有女演员打电话向我求助试镜时应该穿什么时，我们所思考的不仅仅是让她看起来美丽动人。我们要思考她将扮演的角色，以及如何能通过服装表现这个角色。也许她需要看起来像个出版商，那么出版商是什么样子？也许她需要看起来像个来自密尔沃基的律师，而且是两个孩子的母亲，她刚打完棒球准备和客户见面。我们应该怎样用服装传达这些细微的区别呢？

对我来说，服装风格就是一种语言，是一一串联起来的信息。这些信息不时地被我们所接触的人解读。在这本书中，我不仅要教你如何改变自己的装束去展现你最迷人的一面，而且要教你如何解读、分析这些信息，使你完全掌控自己所创造的给别人的印象。

联系我

—

也许你已经开始感受到好装束的力量，然而我的最终目标不仅仅是让你穿得漂亮。

我希望你最终能提升时尚智商。我希望你能熟悉我在工作中所使用的方法，并自如地运用到自己身上。由于我无法给你面对面的反馈，我希望你能用以下任何一种方式联系我。你可以在推特上找到我（@georgebstyle），也可以通过脸书或者电子邮件联系我。我的邮箱地址是 georgebstyleny@gmail.com。一旦你联系我，我一定会回复，因为我尊重你对这个改变过程的投入，我明白有时你需要帮助。如果你不确定一套服装是否适合你，你可以把服装照片推特给我。如果你对某一服装风格感到困惑，把这个问题发送给我，让我了解你是怎样经历这个改变过程的，我希望能够陪伴你开始这个影响深远的改变。这一改变必须亲力亲为。

我迫不及待地想知道结果。

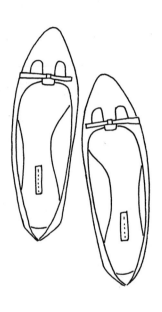

Chapter 1

服装谜语——学会解读你的衣橱

服装风格
是将复杂的问题用简单的方式
表达出来。
——让·谷克多

不管你的出发点是需要解决五花八门的穿衣风格的危机，还是觉得自己现在的服装品位需要提升，如果你拿起了这本书，你就是在寻求改变。也许服装问题会困扰你一生，但现在你终于决定正面解决这个问题；也许你正打算寻求一份新的职业或者处于职业转型期，你特别想展示自己最好的一面，却不知道如何下手；也许你一直想有自己独特的穿衣风格。

不管你出于什么原因，我很高兴你能读这本书。欢迎走进乔治·布雷西亚风格的世界。

对我来说，穿衣打扮完全是乐趣，但我亲眼看到很多客户为穿衣打扮而感到苦恼。穿衣打扮这个话题让人非常忧虑、情绪激动，它又如此私人、如此深刻。然而，穿衣打扮通常被认为是一个简单的问题，有一个简单的处理方法，那就是程式化的化妆加上不断地购物。

只靠花钱买衣服就能提升衣橱品位这样的观点大错特错。虽然我认为想要自己的衣橱高效实用地运转，每位女性都需要一些基本理念，但是我也认为，大多数服装风格的问题都是内在原因造成的。这些问题源于我们长久以来对待缺陷的态度，无论是身体缺陷还是精神缺陷。这些问题源于恐惧，包括被关注的恐惧、被忽略的恐惧，以及对改变、老去、前进和责任的恐惧。这些问题源于我们对自身认识的困惑以及我们在生活中扮演的不同角色。

为什么穿衣打扮这个话题能让大部分人非常忧虑、情绪激动？首先，从字面上讲，衣服避免了我们赤身裸体，它是我们的第二层皮肤。衣服紧贴着我们真实的皮肤，不可避免地引发人们关于形象、自我价值、信心和身份的许多想法。衣服也真实地隐藏了我们容易受伤的自我。

衣服是一座桥梁，连接着我们私密、内在的世界和公众、外部的世界。

衣服是变幻多端的斗篷，有着象征性的力量。这种力量通过两种方式作用于我们，不仅深深影响我们的自我感觉，同时也告诉我们陌生人、熟人和所爱之人如何看待我们。比起我们的其他物品，服装拥有定义我们身份的力量。

穿衣风格会说话

—

这本书的核心事实是，我们的衣服在我们开口之前就已经替我们说话了。

无数研究证明，第一印象影响着我们对每天所接触的人的看法，也影响着人们对我们的看法。在第一次见面的前十秒钟内，我们对一个人的印象就形成了，对这个人的整体看法也开始形成。

回想一下，在日常生活中，你是否经常给刚刚遇到的人做假设？当你在你家附近的杂货商店里看到一个四十来岁的男人在排队付款时，我敢保证你在几秒钟之内就已经解读他的服装、发型以及外貌，从而猜测他的职业是什么，他有多少钱，你们之间有多少共同点和不同点，甚至他的政治观点是什么。你的猜测不仅仅局限于他是穿着沾满颜料的工装靴子的建筑工人还是穿着剪裁工整的布鲁克斯兄弟套装的银行家，你会猜测更深层次的东西。我们的眼睛非常敏锐，能迅速地捕捉到非常小的细节。如果他穿着牛仔裤，即使不是专业的造型师也能快速解读出牛仔裤意味着什么。我们一直在解读，不管我们是有意识地还是无意识地。那条牛仔裤是因经常与墙体接触而磨旧的粗蓝布裤，还是精心磨旧、具有艺术家气质、价值一百五十美元的牛仔裤？牛仔裤的风格、这个人的头发、衬衫和鞋子说明了什么？是"建筑师"，还是"娱乐业律师"？是严肃、雄心勃勃的人，还是懒散、爱热闹的人？是有可能成为未来的丈夫，还是害怕承诺、有彼得潘综合征、不成熟的人？你的大脑不停地收集可见的线索，并组织成不同的观点，这些观点就变成了假设。

那么问题来了。每当你走出家门，同样的事也发生在你身上。早上头脑不清时随便套上的外衣，成为陌生人和熟人等解读你的性格、身份以及整个外貌的线索。

这就是为什么我认为所有穿在身上的物品都是"宣言单品"。不管是穿了十年的运动衫，还是一双你穿着跑去杂货店、糟糕的人字拖，抑或是那套自从《风流记者》还在播出时你就没有换过的呆板职业工装，这些都表达着真实的你。

你也许对宣言单品这个概念非常熟悉。这个术语出现在所有时尚杂志和化妆秀上。它是吸睛、鲜艳的服装或者配饰的时尚代码，能一下子定义你的形象。但是如果你审视一套服装十秒钟的话，你会发现所有的物品都是自我的表达，根本没有不是宣言单品的东西存在。

你穿的一切都表达出某种含义，不管是暗淡的军绿色毛皮大衣配了一条褪色的褐色卡其裤，还是非常合身的牛仔裤配了一件纯白色的 T 恤衫或者经典海军风运动衫。

不管我们喜欢与否，人们都会注视我们。我们所表达的含义被人们解读着。而且，这种含义影响深远，远远不只是排队结账时我们留给陌生人的转瞬即逝的印象。

学会"解读"衣服的含义

—

好消息是，你的衣服也许能传达出某种含义，但是它本身不会思考。也就是说，衣服不会自己从衣架上滑落下来然后跑到你身上，一定是某个人为你选择了它。那个会思考的人（也就是你）可以做出不同的选择，做出更加明智、更加慎重、更好的选择。你有能力改变你想表达的含义，这个改变能够影响你的一生。

然而，在你改变衣服所传达出来的含义之前，你要学会解读它。学会解读衣服所传达的含义，你就会知道如何穿衣搭配。

学会解读衣服的含义从一个简单的改变开始——留心。如果你听到我一遍又一遍地称赞某件事情的话，那就是多留心。我真心认为，好的装束和不够好的装束的差别在很大程度上与觉悟有关。不管问哪个大师、哲学家、心理学家，他们都会告诉你，真正的改变源自觉悟。觉悟是形容留心和活在当下最恰当的词。

读到这里，你是不是觉得只要有了这些知识，你就立刻能变成现代版的杰奎琳·肯尼迪·奥纳西斯？我知道每个女人都能拼凑出一套好的装扮。如果能从中获得很高的收益，或者某种场合需要的话，女人就会发挥这项技能。回想最近一次你去面试或者去参加婚礼的时候，不管你是特意为那个场合买的衣服，还是从衣橱里精心挑选出来的衣服，我敢肯定你一定选择了最能够展现自己风格、身材和性格的衣服。

你只花了一点点时间思考，只做了一点点努力，就展现出自己的潜在能力。这证明了我的观点，当我们留心我们的衣服、我们想表达的含义时，我们的衣服就会讲述一个不同的故事，一个更好的故事。

在某种程度上，我给客户最好的礼物就是我的专注。和我在一起就多一双眼睛。这双眼睛能客观地评价他们的衣服所传达的含义。我会劝告他们不要选择不合身的衣服，不要满足于看着还可以的（足够好）衣服，也不要害怕。如果你培养了自己的时尚洞察力，你会成为自己的客观观察者，同时你也能掌控衣服所讲述的故事。

培养这种洞察力从一个非常简单的问题开始。

"它表明了什么？"

—

这是我的经典问题。我希望当你穿上每一件衣服时，都问问自己。这真的是一个非常简单的问题，但是我发现它非常有影响力。你要探寻自己的衣服所代表的深层含义，而不是简单地把衣服拼凑在一起，祈祷能获得最好的搭配效果。

探寻衣服所代表的深层含义需要你在认知上有一个巨大的转变，最终会让你从新的角度看待自己的衣橱。然而，这个质问的过程远比你想象的容易得多。

想想你评价那位在杂货店排队等候的英俊建筑师的速度，你通过快速扫视他的牛仔裤的剪裁就获得很多信息，快速做出评价。现在，你要把这种敏锐的观察力用在自己身上。如果你只用了十秒钟就能"解读"出大街上陌生人发出的信息，他人也不会花很长时间来解读你的形象。当你成了杂货店里的那个陌生人，别人会怎样看待你？

你的衣服传达出成功、幸福、希望、自信，还是透露出不安、害羞、困惑、恐惧？你的衣服真实地反映了你现在所处的生活阶段、你所希望的生活，还是展现了很久以前的自己？

如果你正揣摩自己的衣服，但是不知道它们代表着什么，请不要担心。这本书会教你怎样解读衣服传达出来的含义，解读它们的颜色、整体搭配、合身程度和款式。我要你做的就是每天早上穿衣的时候，问问自己那个经典问题："它表明了什么？"最终，答案会涌现出来。一旦得到答案，就没有什么能够阻挡你。

你的时尚小黑书

一

我让你买的第一件物品可能会让你吃惊，不是新内衣（如果你从来没有买到合身的内衣，那内衣肯定是你必买的第二件物品），或者经典小黑裙。我想让你买一本全新的笔记本，只用来记录你为这一改变所做的努力。不管它是蓝绿色、橘黄色，还是其他任何你喜欢的颜色，这本小黑书会储藏这一改变过程中发现的关于你的点点滴滴。最后，它会演变成你的时尚清单，而且记录你在这个改变过程中所产生的灵感和想法。如果你离不开你的电子设

真理小锦囊

镜子，镜子

镜子是无法回避的。要想改变自己的风格，掌控你传达给外部世界的信息，你就要花一定的时间认真地照镜子。如果你想掌控别人对你的看法，你必须收集所有陌生人和熟人有意、无意间会得到的有关你的视觉信息。唯一的做法就是好好地、仔细地看看镜子里的自己。

镜子里的自己让你充满恐惧吗？你会因为对镜子里的自己感到不满而习惯性地避免照镜子吗？一想到那光亮的镜面，我们就感到无比烦恼，有时甚至像躲避最讨厌的敌人一样逃避它。然而，这会产生反面效果，因为就算你不看自己，其他人也会看你。

看看镜子里的自己在很大程度上就是学会如何观察自己。通过打量镜子里的自己，你能学到很多。开始时，你注意到的是镜子里的自己给你带来的感受。最终，你会思考自己到底看到了什么。盘点一下自己的优势和缺陷，但是一定要和善，因为你所谈论的那个女孩是我的朋友。

改变你的服装，改变你的生活

备，不想用笔和纸把想法记录下来，电子版的小黑书也可以——然而当我开始这段改变生活的旅程时，我倾向于那些能证实这一转变历程的有形物品。

盘点身材的优势和缺陷

—

首先，穿上你最喜欢的、最显身材的衣服；穿上最合身、最能凸显你的特点的衣服；穿上你觉得最有魅力的，或者为你赢得最多称赞的衣服。可以是工作装，可以是晚上聚会时穿的衣服，甚至可以是运动装。准备一面手持镜子，站在全身镜前，你看见了什么？用手持镜子从前面、侧面、后面三百六十度全方位观察自己。在时尚小黑书上写下下列问题的答案：

百分之九十九的客户都不能正确地认识自己的身体。他们对自己的缺陷的认识也很滑稽。我希望你能通过这个练习纠正错误。你对自己的形象消极错误的看法是否非常强烈，从而形成了逃避照镜子的习惯？你是否害怕看到自己的形象？其实，现实比你想象的好得多，因为我们通常都是自己最毒舌的评论家。

镜子不是你的敌人。镜子只是一个工具。你要每天都使用这个工具，乐观地平衡你的优势和缺陷，将目光吸引到优势上，避开缺陷。你左右结果的能力比你想象的大得多，但是你要有足够的勇气观察自己。

MY FASHION NOTE

My Fashion Note

Q1：你的优势是什么？

你的脸和身体有什么典型特征？你是否知道凸显你身体哪个部位的特点才能使自己成为独特的个体？是你的眼睛、头发、身体曲线、身高、体格，还是肤色？如果你知道应该怎样做，令人头晕眼花的购物就会变成有针对性、有目标的任务，而且成功完成这项任务的概率很大。你只要随便看一眼，就能否定某种类型的衣服，甚至不用试穿，你就知道什么衣服穿在你身上比较好看。

—

Q2：朋友们通常给你怎样的评论？

也许你一直陷在自我责备中，没有认识到你最好看的身体部位，那就想想爱你的人都如何评价你。他们是不是喋喋不休地念叨你那纤细的腰部？还是嫉妒你的大长腿？或是被你的香肩迷死？抑或是友善而挑逗地评价你的乳沟？人们经常评价的部位通常就是你需要

改变你的服装，改变你的生活

展示和突出的部位。

—

Q3: 你的衣服怎样凸显你的优势?

你也许知道自己穿什么样的衣服最好看,但是你是否分析过其中的原因? 让我们来慢慢地分析原因。那条裙子收腰吗? 肩带的宽度是否正好合适从而呈现出你那轮廓清晰的肩线,并且把上半身缩短了一半? 那件背心是否最大程度地展现了你美丽的背部? 衣服的颜色有没有凸显你的眼睛,让你的肤色看起来健康、美丽? 记录好衣服的特点,渐渐地,你就会成为一位知识渊博的购物者。

—

Q4: 哪些优势没有被衣服凸显出来?

你是不是有一双美腿,却从来没有向他人展示过? 不管你隐藏它们的理由是什么——"我的腿没有那么好看"或者"我不想看起来太过招摇"。抛弃那些理由,并记录下这个身体部位，当我们开始学习第六章"新的开始"时，你至少要买一件物品来突出这个没有被他人注意到的优势。第一次穿的时候你也许会感到不习惯（之后还会不习惯），但是我猜不久后你就会炫耀你的优势部位。

—

Q5: 你的缺陷是什么？你不想展现出自己的哪个部位？

谈到缺陷，我知道你会对自己非常严格，但是不要疯狂地认为身体的各个部位都有缺陷并且记录下来。要保持积极的态度，像对待好朋友那样和善地对待自己。每个人都有缺陷，穿衣打扮就是为了淡化那些缺陷，突出自己的优势。所以，"我讨厌自己的肚子"那样的想法要少一些，多一些这样的想法："我的上腹部不够好看，所以我需要一件要么能够遮盖它，要么能够包裹住这部位、让我看起来曲线明朗的衣服"或者"我的胳膊不是最好看的部位，所以四分之三长的袖子是我最好的选择"。

"告诉我一切"

—

"告诉我一切。"我和客户见第一面的时候，通常以这句话开始。自我改变的历程也是从此开始。在看到你的衣橱之前，我要评估你目前的生活状态，并且构想你希望得到什么。你处在什么样的生活阶段？你希望到达什么样的生活阶段？你的衣服如何能帮你实现那个目标？它们是怎样阻碍你的？在第五章，当你评估自己的衣橱时，你会发现很多关于自己的东西。然而，我觉得仔细评估你的状态、你的目标有利于掌控这个改变之旅。

在你的时尚小黑书里，写下下列问题的答案：

你现在的职场形象是什么？你如何看待此形象？你认为这个形象是如何阻碍你或者帮助你实现目标的？

周末休息时，你的穿衣策略是什么？你选择俏皮有趣的衣服还是选择将你隐藏起来的衣服？首选的周末服装的风格是什么？是注重服装的实用性、时尚性、灵活性，还是既注重实用性又注重时尚性？

什么场合让你感觉压力最大？如果你要参加鸡尾酒派对或者要做演讲，你会穿什么？你想穿什么？

总之，你觉得自己的衣服能够代表现在的生活吗？你希望五年后的你过着什么样的生活？

你想要的生活和现在的生活有什么差别？

穿衣打扮的过程中，你遇到了什么问题？是不是很难找到合适的裤子？是不是喜欢自己穿羊毛开衫的样子，而不习惯自己穿运动上衣的样子？是不是经常想遮盖自己的肚子和大腿？是不是因为背部的缺陷而穿一双沉重的鞋子？

穿什么衣服让你感觉最好？什么类型的衣服让你觉得你就是独特的你？为什么？

此刻，你所穿的衣服给你带来怎样的感受？很抢眼，有魅力，很职业，很愉快？你希望自己有怎样的感受？

每天面对自己的衣橱，你有什么感受？

你希望这个改变之旅能给你带来什么改变？

这个练习能够帮助你培养时尚洞察力。我常常发现，通过这样的初次交谈，我基本能了解客户需要的一切。衣橱里的衣服也证明了客户对自己的了解和我对客户的了解都是正确的。这深刻地说明了这样一个事实——在你内心深处，你知道自己衣橱的长处和短处。明白这个道理，这场战斗就完成了一半，也为我们所寻求的改变奠定了基础。

为渴望的生活而穿衣打扮

—

"为了你渴望的职位而穿衣，而不是为了现有的职位而穿。"这一忠告仿佛妈妈们给我们的忠告。我之所以提到这一忠告是因为它是非常好的建议，它抓住了穿衣搭配的真谛，它表明了我们的形象能在很大程度上影响人们对我们的看法和判断。如果我们想在职场上成功，工作出色是不够的。我们必须传递出一种能胜任的自信、雄心和姿态。这些信息最好通过非语言的途径传递出来，比如我们的服装、身体语言和个人魅力。

在内心深处，我们都知道穿衣打扮在工作上的重要性，即使我们有时会忽略它，尤其是当我们在一个职位上感觉越来越舒适的时候。但是很多人都没有认识到这一理念跟我们生活的方方面面都有关系。

你的服装传达出一系列信息。无论你是在办公室还是在去波基普西的路上，这些信息都被他人评价，也反映着你生活的方方面面。

当你穿梭在这些不同的场景时，你永远不知道自己会遇到什么人。也许会遇到那个你在读书会上认识的漂亮女人，她人缘极好，你一直想给她打电话；也许会遇到你在家庭教师协会里认识的女人，她不那么漂亮，喜欢对他人评头论足，而且用别人的弱点助长自己的骄傲自大；或者，也许会遇到一个陌生人，这个陌生人可能会一下子改变你职场生活或者感情生活。

然而，无论你外出办事，还是在海边度过慵懒的周末，非正式场合下的服装并不仅仅是你给他人的印象。你的服装所传达出来的信息不仅向外传播，同时也会影响你，影响你对自我身份的认识。它会影响你对世界的看法，以及你在这个世界中的位置。

当我们穿得越职业，我们就越会感觉自己更加职业；当我们穿得很性感，我们就会感觉自己越性感；当我们穿得越喜庆，我们就会感觉自己更加开心。你可以想更多形容词，把这组例子继续下去……新鲜、清新、有趣、知性、强大、亲和、欢快、世故、幽默、严肃、漂亮、昂贵，或者与之相反，懒散、邋遢、乏味、混乱、不搭配、俗套、廉价。不管穿什么，你的衣服所传达出来的信息都会对第一个且最重要的目睹者——你，产生影响。

感觉更加职业、更加世故、更加强大、更加性感，跟成为这些词汇所描述的形象有什么关系呢？

关系密切。

没有一样东西能够像思想一样影响你的生活轨迹。然而，大多数人都忽略了这关键的一点，那就是我们的服装能改变我们的思想。

所以，为了你想要的生活而穿衣打扮是一种怎样的体验？在生活中，你更想得到什么？是冒险，放松，还是职业认可？是感情生活还是快乐？你会为了收获这些可能性而穿衣打扮吗？还是将它们拒之门外？

为引人注意而穿衣，而且总是处于最佳状态

百老汇演员凯茜是我最亲爱的客户之一，她身高五英尺十英寸①，有一头红发，声音甜美，拥有十九世纪四十年代的电影明星的气质，随便一穿就是极美艳的女子。问题是，她不喜欢自己看起来太高。

至少在我遇到她之前，她不喜欢。她不喜欢在人群中太出众，不想吸引"太多注意力"。穿着一条十分不起眼的运动裤和一件感觉很沉闷的高领衬衣的她一下舞台就变成了路人。

---

① 1 英尺 =12 英寸，1 英尺 ≈ 0.305 米。

想一想，哪个女演员不在乎自己的受关注度？她是高个女子，又有着一头红色头发，很自然地就有很高的受关注度，从这个角度看，她不在乎受关注度可能是真的。她害怕吸引了不该吸引的注意力——我并不是说那种"曾经有过不良记录"的少女。如果你对自己的服装选择没有把握的话，受关注是件可怕的事情。你一直处于一种"别看我，因为我不知道这个打扮是否好看"的模式中。

诚实地说，这种女性是造型师的理想客户。一旦穿上让她们百分之百自信的衣服，她们的转变就会非常明显。我给了她一个工具，让她对自己的外表感到自信，她就会让自己看起来又高又美。其实，她本身就又高又美。最终，她会把身高当作自己的优势，这就是进步。"我的生活完全不同了，"她告诉我，"现在我参加活动，大家都因为我太美了而非常吃惊，以前我觉得大家都根本不会注意我。"

她是如何获得明星气质的？首先，根据她的肤色和头发的颜色调整衣服的颜色。她的肤色呈象牙白，头发是鲜艳的红色。根据这些颜色，选择那些适合她自然肤色的颜色：奶白色、蓝色、绿色、合适的红色、驼色和金色。她开始重视那些自己以前从来没有关注过的特质。她开始穿合身的裙子，有时外出还穿热裤和高跟鞋来展示自己那双漂亮的腿。她很大程度地提升了自己的魅力，把自己打造成自己一直默默渴望成为的那个漂亮女孩。

现在，她被认为是百老汇最会穿衣打扮的人之一。她把自己的生活分成两个阶段：遇到乔治前的生活和遇到乔治后的生活。

　　的确，我们大部分人都不用在摄影师的灯光下生活，也不用在回家的路上给粉丝签名。然而，凯茜的故事证明了有些东西可以应用到我们每个人身上。首先，那些拥有一切的女性（身高、社交圈、润泽的肌肤）和我们有着同样的烦恼和忧虑。她们在没有瑕疵的地方也能挑出缺陷，她们一直很清楚让她们与众不同的特质。有时，我们对穿衣打扮的规则感到非常困惑，所以我们不会选择直面它，而是躲避甚至逃走。我们知道自己做得不对。尽管如此，我们还是选择逃避，这样不仅突出了缺陷，也隐藏了我们的优势。

　　所以，常见的穿衣打扮问题都来自于强烈的隐藏愿望。如日复一日出现的沉闷的色调、大码松垮的衣服、一成不变地坚持的基本款。（是的，老旧的灰色宽松长裤、单调刻板的蓝色衬衣、破旧的米黄色羊毛衫，我说的就是你。）那个匆匆忙忙跑下楼、头埋得很低、把书抱在胸前的、想隐藏起来的女学生，反而会更加引人注意。隐藏并不能让我们从他人的注视中解放出来，它只是增加了我们的不适和尴尬，并且把不适和尴尬变成我们最引人注意的特质。

　　我一直强调，要接受自己引人注意这一点，这非常重要。接受你的身高、曲线、肤色，接受一切让你与众不同的东西。穿衣服要凸显自己的优势，如果你为了吸引人们的注意力而穿衣打扮，你自然而然地就会处在自己的最佳状态。

为了胜利而穿衣打扮

—

为什么政客们会为辩论时衬衣和领带的搭配而苦恼数小时？为什么会有一个叫作"为胜利而穿"的慈善机构存在？这个组织通过改变贫困妇女的服装，来帮助她们改变职场生活。

因为在生活的游戏中，成功取决于自我展示，外貌决定我们的命运。

亲爱的，我能清楚地听到你在大声地唉声叹气。我看见你厌烦那些看起来很简单的日常琐事。你知道你是什么样的人——你自己也许不是很清楚，但是在某种程度上，你选择了放弃游戏，因为你穿着呆板、不合身的衣服，这套服装没有充分展现你现在的生活状态。（也许你内心深处非常喜欢购物，囤积了许多你觉得不好意思穿的漂亮衣服。）

如果你有意识或者潜意识里不遵循穿衣打扮的规则，请问问自己，你收获了什么。那些代表着"我不在乎你怎么看"的服装或者"我希望你根本没看见我"的服装能够有效地疏远他人、破坏交谈。

我们关注自己的形象真的是件可怕的事吗？我不这么认为。我们对外貌敏感，我们被视觉上的东西所吸引，并不是我们肤浅，而是我们生理的直接产物。眼睛喜欢和谐胜过混乱。因为视觉上的混乱让大脑进入困惑的状态，思考"发生了什么事，狒狒是不是要吃了我"。如今，吸引我们注意力的竞争非常激烈，那些会造成混乱情绪的服装可能会被有意识地屏蔽掉。（或者，这些服装被人们审视着，但是对穿着的人不利。）

是的，所有的事物都有奥秘。我们要锻炼使用视觉信息来影响他人对自己的看法的能力。如果一切都是游戏，为什么不为了胜利而穿衣打扮？你一直处在游戏之中，不管你是否意识到。

做一件事的方式就是你做所有事的方式

—

服装讲述的你的故事，到目前为止还只是个开始。培养洞察力和学会留意穿衣打扮很重要，它们不仅能带来物质结果，而且这些习惯性思维在我们的生活中起着重要作用。你还忽视了什么？你的财务状况？你的朋友？你的健康？我不知道你的情况，但是我倾向于忽视那些让我害怕的事情，忽视那些让我充满不安、焦虑、烦躁的部分，这是不明智的想法。当恐惧控制了我们的行为（或者我们过于自信而没有任何恐惧），结果一定不会很好。不留心的话，这一生活习惯就可能造成不好的影响，然而，适当地留点心就会带来好的结果。不留心和留心的影响同样巨大。

这个道理用在服装问题上也很正确，建立在恐惧和不留心上的服装搭配基本上都是欠佳的，因为一个漏洞会导致另一个漏洞。如果衣橱里面乱成一团麻，你不可能简单地关上衣橱门，而其他生活不受影响。或者换个说法，你做某件事的方式就是你做所有事的方式。想想饮用传统日本茶所需的谨慎，想想穿和服的礼节，为什么日本人在这些仪式上费那么大心思？就是为了培养一种从行为到生活方方面面的、无处不在的优雅。同样，你可以运用时尚来尽心地对待生活。

很快，你就会每天都有意识地决定自己穿什么衣服，决定单品组合成一个整体的方式。这种留心会影响每一个与你接触的人对你的看法，从而影响你的命运，这种影响无法估量。

生活不是一连串的重要活动

—

如果看到这里你想："有了这种觉悟就够了！"或者"觉悟是胡说八道的东西，我还以为我在看一本时尚方面的书！"那我就从另外一个角度来讲。对我们大多数人来说，现实生活并不是由一连串的重要活动组成，我们不会时刻穿酒会上的衣服，也不用天天穿夜晚派对装或者打理得非常完美的西服。日常生活通常都很普通，有时并没有特别的事情，只是做些琐碎的事情：接送孩子、做饭、洗碗、整理房间，有时因过度劳累而感到崩溃。但是，这并不意味着我们不能穿一套合适的衣服，从而让自己的生活变得有趣。

除此之外，如果你只为自己要参加的重要活动而穿衣打扮，你就会失去一些机会。在这些机会出现之前，你根本不知道它们的存在。每天都是未知，每天都充满了无限惊喜——难道你不希望以这样的状态开始新的一天吗？

我相信世界是座小小的城。在这座小城里，你永远也无法预知会遇见谁，以及将来这个人在你生活中扮演的角色。我生活在纽约，在巴黎对面最大的这个城市里，一个事件联系着另外一个事件。我们的城市充满了机遇、行人、车辆和高端时尚。但是，在塔尔萨（美国俄克拉何马州第二大城）、迪比克（美国艾奥瓦州东部城市）、威奇托（位于美国堪萨斯州塞奇威克县阿肯色河畔），我也按这个规则生活。我不希望生活在这样的世界里——每天醒来都没让人兴奋的东西！所以，我总是精心打扮，好像转角就会遇到新的客户、新的好朋友、新的更棒的征程。

假设某一天你要去健身房健身，或者去一趟杂货店，或者在干洗店短暂停留，该怎么办？也许我会穿一条漂亮的黑色牛仔裤、一件干净崭新（也就是没褪色、没破洞）的 T 恤衫和我那件二十美元的樱桃红拉链卫衣。听起来像造型师的理想装扮，对吧？我首先得承认这副打扮没什么特别之处，唯一的亮点在于那件樱桃红色的卫衣。我本来可以穿一件灰色的卫衣，但是灰色的卫衣搭配一条牛仔裤和一件 T 恤衫表达出什么含义？"别看我"或者"我今天没什么可期盼的"。鲜艳的颜色改变了一切。当然，不是所有的颜色都可以，只能选择让自己看起来不错的颜色，和头发、皮肤、瞳孔相搭的颜色。突然间，我就变得引人注意，我变得俏皮，变得愉悦，变得勇敢。那件二十美元的卫衣改变了一切。我也没有花太多时间来考虑搭配，因为我的衣橱里装满了适合我的衣服。这些衣服能够表达出从随意、开心到气场十足的任何含义。即使我匆忙从衣橱里随便拿出一件，我也不会穿着邋遢，一天毫无收获。我不会面临这样的危险。

读完这本书，你也敢说同样的话。但是在这过程中，你要检查自己的状态，确保自己能够接受这个比简单打扮要深刻得多的转变。你是否准备好迎接各种各样的可能性了？是否准备好遇见你事先没有预料到的潜在机会？这的确有点让你害怕，就像未知总让人害怕一样。同时，它也让人兴奋。

租来的乔治

—

虽然在这个改变的过程中我一直都在，但是身边多一双客观的眼睛也没什么坏处。所以，找个朋友当你的时尚小伙伴，我们可以叫他（或者她）"租来的乔治"。

谁是你生命中的乔治？当然，他（或者她）必须是一个非常有魅力、时尚、聪明的人，必须睿智、时尚敏感度高、说话和善、眼光敏锐。（如果我可以这么形容自己的话，我就是这样的人！）理想状态下，这个人非常了解你，你也愿意和这个人相处。这是一件有趣的事，所以我相信找到这样一个时尚小伙伴不会很难，尤其是当他（或者她）一直希望你能展示自己的魅力。

问题在于，"乔治"也要看这本书！所以把你的书借给他看看，或者他自己买就更好了。假设你的小伙伴的时尚敏感度无可挑剔，让他熟悉适合你的颜色，了解这一改变的过程的深层含义也没什么坏处。

　　很重要的一点是，时尚小伙伴不能是你的母亲或者你的另一半。你们之间因过往、期待、压力和相互影响而变得太熟悉了。这些人在你的服装问题上已经积累了很多情绪，你需要一个能够客观、不受感情影响的第二双眼睛。同时，这个人也不能欺负人。把这项工作交给真诚、说话和善的人，当你觉得这个人的观点不正确时，你可以忽视它，也不会因此感到不适。

　　现在让我们开始这次旅行吧！

Chapter 2

如何穿衣——日常穿衣的新方法

时尚就是
建筑，它是关于比例的问题。
——可可·香奈儿

想想自己每天早上穿衣打扮的习惯。你打扮时是什么状态？是不是一场跟时间的疯狂比赛？你是不是几乎暴力地将不想穿的衣服从抽屉里扔出来，企图寻找勉强可以穿的上衣，结果导致衣服、鞋子杂乱地散落在地板上？是不是草草地完成这项任务，并且希望自己感觉"足够好"？

肯定不止你一个人是这样的，这些情况经常出现。这不仅说明你的衣橱很丰富，也表明了你对待自己的衣橱的态度。幸运的是，处理这些不好的状况并不需要很长时间，但是，你需要集中精力来改变这些不好的习惯。

在改造你的衣橱之前，我先要改变你日常穿衣的方法，因为尽管衣橱里装满了最好的单品，如果船长（也就是你）胡乱驾驶这条船的话，也可能有不好的结果。最终目的是找到一种让你沉醉在自己的选择里的穿衣方法。这或许很难想象。静静地思考一下你希望塑造的形象，然后再增加或者减少衣服，直到你的样子看起来是一幅和谐的画。然后带着跳跃的步伐走出房门，而不是带着气馁、装扮不好的想法开始新的一天。

一套糟糕的装扮可以毁掉一整天

—

首先，我们要说一句："啊。"

你很清楚自己穿衣打扮的过程。早上一起床就烦躁、慌张，或者你想不到要穿什么衣服，洗完澡就随便拿起手边一件干净的衣服穿上，然后穿着一套自己都觉得不好的衣服出门了。

也许这套服装让你看起来不够瘦，也许看起来不搭，也许看起来旧了、邋遢、奇怪、呆板，或者上述不好的因素都占了。照镜子的时候你就觉得不好，但是你觉得最好早点出门。你的时间不多了，而且你当天也没有重要的事情，没有会议，没有午餐约会，没有社交活动，没有特别的事。谁在乎，只是衣服而已，对吧？

但是走出家门才十步，你就立刻后悔自己在镜子前所做的选择。上次整理衣橱的时候，你就想扔掉这条牛仔裤，因为这条裤子总是让你看起来很笨重。你希望自己已经扔掉了这个与外衣不搭的包。你痛苦地认识到自己的衣服上有五个颜色、三个甚至更多的图案。你整天都无法摆脱早上所做的选择。你决定找点事情做，忘记这些不快，但是没用。你的这些意识每时每刻都影响着你，你想躲避起来，带着一副"我知道我穿了一套糟糕的衣服，请不要看我、评论我"的表情。

这是夸大其词吗？我不这么认为。一套糟糕，甚至不那么好的服装能够毁掉我们的心情和自信。我并没有刻意淡化它的影响。你肯定不希望在自己状态不好时遇到一个与感情或者职业相关的人。你肯定也不想在走道里碰到自己的劲敌或者点头之交。你希望任何人都不要看到你。

这些情况并不都是偶然发生的。通常情况下，它们都是我们早上"决定放弃"而造成的后果，是我们"有意识的决定"造成的后果。从我的客户身上，我看到了"努力"和"不努力"的差别。我希望你能改变这些情况。

我知道，每个人早上用来穿衣打扮的精力都不同，然而，为什么你会让自己一整天都逃避社交呢？不管你今天的主要活动是参加自己孩子的足球比赛（你的孩子六岁了），还是午餐时间要去一趟沙拉吧，我希望你的一天不只是收获这些，我所期望的比你所期望的多得多。本书最大的目的之一就是让你扪心自问，为什么有时你努力让自己看起来不错，而有些时候你不太重视自己的形象。

拥有好的穿衣风格的女性不会时而很完美时而又很邋遢。也许你也注意到了，即使在她们非常随意的时候，她们同样能够让自己看起来非常漂亮。因为她们知道其中的利害关系。然而她们是怎样做到时刻保持美丽的形象的？答案是，她们每天都练习穿衣打扮！

这些女性拥有我常说的"时尚肌肉"。因为她们每天都练习，那些"肌肉"从来不会萎缩。在这一章里，我们要花点时间去想象一下，如果你每天都练习穿衣打扮，你会是什么样子。是的，每天都练习。

衣服应该和谐统一

一

我遇到很多女性对好的穿衣风格都有误解。她们认为穿衣风格是无法通过学习去获得的（当然，大部分情况都不是这样的）。除此之外，她们认为时尚在很大程度上就是购物，就是有钱、有时间，就是知道如何优中选优。然而，好的穿衣风格并不在于偶尔几次购物时你在试衣间里照来照去，更多的在于你每天在自家穿衣镜前所花的功夫。

也就是说，好的穿衣风格并不是你买了什么衣服、你拥有什么衣服，虽然这些都会起一定作用。好的穿衣风格在于日常生活中如何把衣服都搭配起来。作为造型师，我的工作的确包含了购物，也包含了大量的形象塑造。

抛开我的职业内容，塑造形象意味着什么？塑造形象意味着要看整体效果，意味着要不断摆弄，直到成功。当我为客户塑造形象时，我所看的是客户所穿的每一件单品是如何结合起来制造出一种整体效果。很多女性认为，最终目的就是搭配出一套衣服。很多女性穿上一条连衣裙就准备外出，但是我也会考虑与之搭配的鞋子、外套、围巾、发型、妆容和包，同时还要考虑这些物品是否适合连衣裙的主人。再加上对如何统一颜色、面料、材质、图案、风格的认识，你就有了成功的方法。

这种全局的意识完全可以用到DIY（自己动手）的过程中。说到底，一切跟和谐有关。和谐是拥有好的穿衣风格的捷径，是一条神奇有效的捷径。不管是画作、家里的装饰品、自然界，还是时尚，人的眼睛都会被和谐吸引。我们不喜欢那些不和谐、令人困惑的画面，而喜欢流畅、连续、没有任何混乱的画面，这就是我们所说的美。从我们欣赏的艺术品或者自己拍摄的风景图片中，或许能够领略和谐的魅力，然而，大部分人都忽略了和谐在我们衣橱里的作用。所以，许多客户都有我所谓的"小丑学院"综合征。她们可能拥有较好的品位，穿的每一件单品都很漂亮。然而，她们在服装的细节上处理得不好，或者穿的衣服不搭配，造成整体效果不好。她们很重视购物，却轻视了搭配。

怎样才能知道你的服装是否和谐呢？只需要观察即可。每一件单品是否符合整体风格？或者，你是不是曾经用一条朋友织的厚重的金黄、橘黄两色的围巾（两种颜色，而且图案是粗糙的纹理），配了一条黑白印花连衣裙（另外两种颜色，另一种图案），外面还穿了一件棕色竖纹羊毛衫（又多了一种颜色和纹理），还穿了一条黑色紧身裤和一双结构复杂的牛仔靴？恭喜你，你是小丑学院的毕业生！这样的搭配并不很罕见，表面看也不是很不礼貌。但是，它造成的后果就是让人分散注意力。这样的搭配让人注意到那条不和谐的围巾，而不是那张被漂亮的领口和精良的白色丝绸巧妙地衬托的脸蛋。这样的搭配也让人注意到那双笨重的靴子。这双靴子搭配黑色紧身裤，显得双腿很短。整个搭配让人感到非常混乱。

当我们看到一套混乱的搭配，我们的眼睛和大脑会认为这套搭配及其主人是视觉干扰。你的反应跟听到了刺耳、不协调的音乐一样。你会试图去理解这种音乐吗？或许，一个墙上有洞、狭小肮脏的酒吧里上演"新爵士乐"音乐会让你的约会对象印象深刻。然而在现实生活中，你肯定不会这么做。

你被拒绝是我最不想看到的。

和镜子做朋友

一

想知道自己的衣服是否和谐，你就要花大量时间观察这些衣服。久而久之，你曾经习惯的那种敷衍了事的态度会发生很大转变。在镜子前，你要注意的不仅仅是你所穿的衬衣和裤子会不会

改变你的服装，改变你的生活

显胖。你要多看几眼自己的整体装扮，确保所穿的鞋子、所戴的首饰都跟衣服搭配。最后，还要留意你拎的包、穿的外套，看看它们能否塑造出一个和谐的整体。

照镜子并不是自恋，而是一种诚实，是一种方法。如果你想培养自己的眼光，你必须要习惯这个方法。起初，在镜子前多看看自己会让你感到很不适，随着时间的推移，这会变得越来越容易。如果你恨不得把自己的映像撕得粉碎，你要记住，你不是为了看见完美的自己，世界上没有完美的事物。你的目标是追求和谐，每个人都可以获得和谐。你要认识到自己的优势和缺陷，随着你知道如何凸显自己的优势和掩盖自己的缺陷，这种认识最终会给你带来丰厚的回报。你要明白，你永远是自己最毒舌的评论家。当你知道应该把注意力吸引到哪些部位，学会通过颜色和形状把注意力吸引到你的优势上，那些缺陷就会自动淡出人们的视线。

花点时间来塑造形象

一

现在的你怎样支配早上的穿衣打扮时间？是不是一件接一件地试衣服，试图找到一种让你觉得不邋遢的神奇组合？是不是翻箱倒柜地找一件能够配正装长裤的衬衫，结果还是放弃了，最后选择了每天都穿的牛仔裤和衬衫？是不是已经晚了二十分钟，你却否定了自己的第四次选择，还在拼命寻找另外一种可能的搭配？这些都是那些大汗淋漓的、痛苦的穿衣过程的写照。这样的过程很少能够带来满意的结果。

请允许我提供一种新的范例。你平静地走到自己的衣橱前，衣橱大体按照颜色和类别（连衣裙、裤装、衬衫、短裙）进行分类。根据当天的心情以及当天的活动安排，你锁定了某一颜色。问问自己：今天想穿裤子、短裙，还是连衣裙？然后根据自己的想法、天气和当日的安排，你决定穿什么服装。一旦你做出决定，你就会坚持这个决定。（一旦我们排除了那些没有理由穿的衣服，做这个决定就变得很容易。）在这个决定的基础上，一点一点地慢慢搭配。

扔掉那些不适合你或者不能凸显你的优势的衣服（我们在第五章会讨论），你做选择的过程就会变得非常简单。你就会有时间思考如何搭配身上的物品才能吸引注意力，而不是花大量的时间找一件勉强能穿的衣服。是穿那件真丝衬衫配一件棉质长款运动衫，还是选择有气场的衣服外搭一件结构分明的小西服？是穿一双性感的红色鞋子配深灰色的裤子，还是穿同一色调的衣服但通过首饰和妆容来增加亮点？是穿那条鸡尾酒派对上穿的连衣裙配牛仔夹克和一双高跟短靴，还是一条黑色紧身裤配上一件小西服和一双浅口鞋？一切都取决于你期待自己的衣服传达出什么样的含义。

久而久之，你就会掌握各种各样比较好看的服装搭配，把它们记录在你的时尚手册里。按这种方式练习，你会发现服装搭配的新方法。也许你会惊喜地发现，新买的单品能够改变一件旧衣服。

如果你不是一个喜欢早起的人（很多人都不喜欢早起），你要考虑到一起床就心情不好是如何影响你做决定的过程的。考虑到这些决定的重要性以及它们会影响自己一整天，你要尽可能地找到一套满意的服装。所以，要么不要害怕，积极乐观地面对；要么前一天晚上准备好，这样你还能多睡十五分钟。

衣服必须合身

—

如果你不是与世隔绝，你肯定会注意到人们都喜欢谈论法国女人，谈论她们的穿衣风格如何完美，谈论她们从来不会发胖。然而，我要告诉你，法国女人——人们通常说的是巴黎女人——并不是所有的都那么时尚。理由是，当她们到了美国买什么？她们买雪地靴。这是我的证据。

然而，关于法国女人，我想说的一点是她们都穿合身的衣服，她们非常在乎衣服质量。如果你遇到过法国女人购物，就知道她们对自己所买的东西是何等挑剔。

所有的规则都会被打破。如果有那么一条永远不被打破的规则，也就是法国女人永远遵守的规则：所有的衣服都必须合身，就好像这些衣服是为你量身定制的。

量身定制意味着非常合身。衣服合身并非偶然。我们越清晰地看到你的身材，你就会越好看。为什么呢？如果你所穿的衣服不合身，你的衣服就会不可避免地看起来很邋遢，好像是向他人借的，无意中穿在身上一样。更可怕的是，衣服仿佛在折磨你，就好像衣服让你感到不舒服一样。最明显的是，不合身的衣服不能凸显你的优势。

不管你穿多大的尺寸，也不管你的身材如何，合身的衣服能传达出你对自己的身材很有自信。然而，不合身的衣服传达出一种不确定性和缺乏信心。宽松下垂的衣服（而非优雅、飘逸的衣服）会让人联想到这么一个问题："她在隐藏什么？"太小的衣服会显胖，传达出你可能不完全了解自己身材的信息。

合身的衣服同时也更时尚。因为"时尚"就是一位女性穿衣服好看而且表现得自信，是她掌控着衣服，而不是衣服掌控了她。如果你曾做过最具影响力的改变是改变衣服的颜色，那么不久你就会选择合身的衣服。你坚持减掉十到二十磅[①]的肉，让自己看起来更时尚。所以为了避免更多的麻烦，有五个步骤能够帮你找到合适的衣服：

1.不要只看衣服的尺码。每个品牌的衣服的尺码相差很多，甚至同一品牌的尺码也有差别，尺码取决于衣服的类型。同时，衣服的尺码也取决于每个人独特的身材。我经常会遇到一个人穿四号的连衣裙和短裙，却穿六号的夹克和上衣，八号的裤子，甚至还有其他的尺码差别。因此，不要纠结于衣服的尺码，也不要掉进尺码怪圈，认为你所穿的最大尺码就是你的真实尺码。这个理论根本不存在。试一试那些你觉得你能穿的尺码。如果不行，就试试大一号或者小一号的衣服。然后选择最能够凸显你的身材那个尺码，而不是纠结于某个数字。

2.试穿。这条准则看起来真的普通得无法再普通。但是我知

---

① 1磅≈0.45千克。

道，有些女性非常讨厌购物，她们买衣服之前从来不试穿。你也许已经猜到我对这件事的看法，因此我就不再多说。我要说的就是，我们很难预料衣服是否合身，只有一种情况下你不用试穿，那就是，替换那些你已经有的基本款。如果你是一个非常固执的人，你需要另外一种专业的帮助。

3. 大量尝试。某些购物场合需要你采取更大胆的方法。假如你希望找到合适的牛仔裤，你应该到商场找一个友善的导购，告诉他（她）你所需要的衣服以及你的日常活动。你会在不同品牌的各式各样的牛仔裤中发现适合你的。也许你试穿了二十条才找到合适的牛仔裤，但是你最终还是能找到最适合自己的牛仔裤。

4. 向导购寻求帮助。"你觉得这件衣服合身吗？我应该穿小一号的吗？"一个好的导购非常清楚如何搭配每一件衣服。一个好的导购也肯定熟悉某个特定品牌的服装细节。优秀的导购能够给你准确的建议，告诉你衣服是否适合你。

5. 结识一位裁缝。有时，一个小小的改动，或者说是一个手艺很好的裁缝，就能消除 8 分的衣服和 10 分的衣服之间的差距。是否改衣服取决于衣服的质量和吸引力。有时，改衣服也非常值得额外付出费用和精力。如果衣服质量不好或者吸引力不强，那还是放弃吧。不要假定只有套装和其他有投资价值的衣服才值得修改。如果只要将牛仔裤或者灯芯绒裤的腰部改小一点，你就获得了一条 10 分的裤子，那就没有什么不合适的。如果改过的衣服让你看起来好看，那就值得改动。

衣服必须突出穿着者

一

作为一个造型师，我认为合身是个实际问题。衣服要么合身，要么不合身。但是我知道，对于我那些女性客户，衣服是否合身没有一个客观的答案，这个问题充满了感情色彩。我们时时刻刻都被各类与身材相关的信息充斥着，这些信息试图告诉我们应该拥有怎样的身材。在自动弹出的广告里、广告牌上和杂志里，到处都是那些难以达到的修过图的体形。这些体形甚至与模特本身都一点也不像。

我知道这些信息会对你产生一定的影响。通常，你的反应是关掉广告，然后放弃穿衣打扮这一游戏，并且告诉自己，你那平庸的体形是一个难以攻克的挑战。"她们做的裤子不适合我。""那家店里所有的衣服都是给青少年做的。""只有一个品牌的衣服适合我，其他的对我来说都是灾难。"

我为各种体形、各种尺码的女性挑选过衣服。我可以告诉你，这些说辞过于简单而且不正确。不管广告暗示了什么，这个时代的时尚都是跟消费者有关的。设计师们正在为各种身形的顾客设计各种颜色的牛仔裤，也在精巧地制作适合大码女性穿着、漂亮时尚的衣服。设计师们还为不同年龄段的女性设计各种各样的衣服。

如今，每种身形都有很多不同的选择，所以穿衣搭配就是找到最适合自己的衣服。不管你是身材丰满，还是直上直下的身形，还是梨型身材、倒梨型身材（上身胖、下身瘦）、苹果型身材、漏斗型身材，是身材娇小，还是特别高大，都能找到很多适合你的衣服。但是你要努力学习如何穿衣打扮，因为当你选择那些合身、凸显你身形的衣服，你会看到最好的结果。

有些穿衣准则适用于每个人。腰部线条通常都很有吸引力。塑造你的腰部线条，你立刻就看起来更瘦、更性感，而且更加干练。同一色调的服装可以显瘦，具有拉长身高的效果，高跟鞋也有同样的效果。后面我也会讲到高跟鞋。不管你是什么身形，平衡才是关键。如果你穿着比较飘逸的上衣，那么一定要穿紧身的裤子。如果你穿了长及脚踝的裙子或者宽腿裤，那就要搭配贴身的丝绸衬衫、吊带背心或者 T 恤衫。

高而瘦。很多女性认为非常瘦的女性很容易看起来又高又瘦。我不得不说，这种想法大错特错，但你依然必须去健身诊所瘦身。稍微大一点的衣服会让瘦身后的你看起来很瘦削、憔悴，而不是优雅轻盈。如果体重已经下降了很多，你却没有买适合你新体形的衣服，你同样也不会优雅轻盈。苗条的人可以穿慵懒的衣服，但是同时，一定要保证所有的衣物都处于平衡状态，要保证衣服的材质处于和谐的状态。材质能够决定一件衣服是优雅下垂还是像一个忧伤的袋子一样挂在身上。不要担心紧身的衣服让你看起来太瘦了，你所担心的邋遢形象，是衣服太大造成的结果。如果你是平胸的人，希望上身多些曲线，那就选择有图案、纹理和褶饰的衣服。

苹果型以及大码。那些苹果型身材和大码身材的女性一定，一定，一定要穿能够收腰的衣服。系个腰带，把衣服扎在裤子里，或者选择线条比较明朗的衣服，能够自然地塑造腰线。大码女性总是倾向于穿宽大的衣服，这种做法是错误的。你要穿合身的衣服，而不是为了隐藏自己的身体而穿过大的衣服。我一直强调，隐藏永远都不是正确的做法。呆板的长衫不是大码女性的朋友，而是敌人。其他身型的女性也一样，所有的衣服都要合身。穿着合身、线条明朗的衣服，你会看起来更瘦、更有女人味。如果你想穿飘逸的衣服，那就选择下垂飘逸的外衣，不要系扣，里面穿更贴身的衣服，制造出一种更瘦、更贴合的效果。如果你想穿有印花的衣服，一定要选择有大块图案的衣服，而不要选择小而精致的图案，因为后者在你身上会显得很繁乱。

梨型。如果你是梨型身材的人，一定要突出身上最瘦的部位，也就是腰部！一般情况下，要选择那些上身紧而下身松的衣服。你适合穿连衣裙或者短裙，而不太适合穿裤装。但是别难过，高腰宽腿裤可能会成为你最好的新朋友。高腰宽腿裤的腰部正好在身体最瘦的部位，而裤腿的宽度会遮掩腿部的曲线。选择直筒牛仔裤，而不要选择紧身裤。如果你喜欢修身铅笔裙，你可以大肆炫耀自己的腰部曲线，但是一定要穿带跟的鞋子，从而使自己的双腿看起来更加修长。

倒梨型。倒梨型（下身瘦，上身胖）身材的女性一定要突出自己的双腿。可以选择短裙或者修身裤，上身配一件衬衫。如果你胸部比较丰满，那 V 型领、船型领和露肩式的衣服能够凸显脖子和锁骨，而且能够把目光吸引到你的脸部。圆领衣服会让你看起来有点臃肿，而且会把过多的目光吸引到你的胸部。同样，带图案和荷叶边等纹理的衣服会显得上身更加丰满，也会让你看起来臃肿。（如果你一定要穿圆领衣服，选择那些合身的低圆领衣服，下身搭配与之同一色调的裤子。）选择合身、有省道①或者褶饰的衬衣和连衣裙来塑造腰部线条，弱化无法凸显身材的架子效果。（注意：褶饰是每个女性最好的朋友！）

沙漏型。沙漏型身材的女性要尽量系腰带，而且要尽量穿贴合的衣服，这样能够展现身体的曲线并且提腰。如果你的衣服没有收腰效果，并且隐藏了臀部，那会造成帐篷效果，掩盖你的优势，把你变成乱七八糟的一团。你必须接受的是，你最好走性感路线。这条路不是很好走，但是你必须走。

高大的女性和娇小的女性。高个子和小个子的女性也有可能是上述所说的身形，因此你要注意自身的身形。这两种女性都不要害怕鲜艳的颜色，也不用躲避他人的目光，但是一定要当心那些驾驭不了的图案。

给高个子女性一点特别的建议，请你别再隐藏自己的身高！我知道你的担忧。你害怕穿高跟鞋，因为你觉得自己像长颈鹿，而且担心那额外的高度会吸引更多的目光。于是，你最终选择穿平底鞋，尽管平底鞋并不适合你所处的场合，或者平底鞋跟你的外套并不搭配。这就会让你看起来笨拙而高大，而不是优雅而高挑。如果平底鞋搭配了一套不合适的服装，你会看起来因身高而感到罪过。别再内疚了，张开双手拥抱高个子带来的影响力和气场。关于高跟鞋，有一条不同于我们通常认知的真理：高跟鞋能够让你看起来更优雅，尤其对那些高个女性和大码女性而言。

---

① 省道，指将衣料与人体表面之间的余量部分折叠并缝去处理，以增加服装的立体感。

纤瘦之谜

你是不是也认为只有像模特那样的女性才能非常时尚？如果是的话，你就掉进了营销谬论的陷阱。我不是在撒谎。给纤瘦高挑的女性穿衣打扮容易得多，这就是为什么设计师们选择这些女性来展示自己的作品。苗条的身材不会破坏服装的线条，模特就像一块画布，能最大程度地展现服装。但是，这并不是说给其他身形的人穿衣打扮就是不可能的。在现实生活中，我们希望尽可能地展示你。

有很多看起来时尚的女性都不属于纤瘦型身材。想想穿着华丽衣服的阿黛尔，复古的发型，超棒的妆容，仿佛一位二十世纪五十年代的美女。如果你还在把自己的身形当成不认真穿衣打扮的借口，你也该清醒过来面对现实了。好的穿衣风格跟身材没有太大关系，而在于你所做的选择。

　　改变你的服装，改变你的生活

倾听服装的声音

——

每天早晨，在镜子前穿衣打扮的你，看着镜子里的自己，脑子里想的是什么呢？我猜，大概是"看起来是否还可以"这样的问题。

你问的问题不正确，得到的答案也不会正确。是的，你的装扮也许看起来还可以，但是你不该问那个问题。与其问你自己或者问镜子你所穿的衣服是否还可以、是否合适，或者是否很棒，并希望得到肯定的答案，我希望你问问自己那个经典问题："它表明了什么？"

这个问题的影响力不可估量，它能让你从一个更加客观的角度看待自己，能帮助你培养眼光。如果你在思考浅蓝色短袖棉质连衣裙，这说明了什么？这说明了，你正在从对那件衣服材质的肤浅认识（天气暖和的时候穿轻薄的蓝色连衣裙）向一个深层次的理解（这件衣服传达出什么信息）过渡。也许这条裙子表明了"一个温柔谦逊的女孩渴望在大草原的时光"。此时，你可以退后一步，评估一下这是不是你希望在那个特定时刻留给他人的印象。你希望自己的衣服告诉他人什么？我敢肯定你是个温柔的姑娘，谁不喜欢美丽的大草原呢？但是，这是你现在想传达出来的信息吗？对你来说，前卫、自信、干练的职场人士的形象是不是更好？还是具有亲和力的性感、娇媚、成熟女性的形象更好？如果你想穿那条裙子，而且那种蓝色也适合你，你能否通过搭配一件深蓝色的小西服、金项链和一双裸色漆皮高跟鞋来改变裙子传达的信息？

弄清楚自己要传达的信息，你就拥有了主导权，你就能控制自己塑造的形象。这是一项非常实用的技能。穿衣打扮的风格和方式有无限种可能，你不需要学习心理学或者花很长时间成为专业的造型师就能够熟练掌握穿衣打扮这个游戏。你唯一要做的就是，提出正确的问题："它表明了什么？"

为你希望留下的印象穿衣打扮，而不是为了某个场合

我来测试大家。假如，你要和一位重要的人物见面。这个人在某种意义上能够给你的生活或者职业生涯带来深远的影响；也有可能是和一位潜在的客户见面，你非常希望得到这位客户的资金支持；或者是和一位你崇拜多年的杰出人物喝杯咖啡，而且你已经成功地吸引到他的注意力；或者你要参加一个梦寐以求的工作的面试；或者是年终与上司的面谈，而且在面谈中你打算证明你应该升职。在这些情况下，你会穿什么衣服？

在你回答这个问题之前，你要问自己这么一个问题：你希望这次会谈取得什么样的结果，以及什么样的形象能帮助你实现这个结果？

此时，你需要想一想将要会面的这个人。这个人是什么样的人？这个人是如何展示他（或者她）自己的？假定这个会谈是一个电影场景，这个人在其中扮演什么角色？你自己又扮演什么角色？在充分认识到这些情况后，你就能够专门为这个场合、这个人穿衣打扮，从而展示自己最好的一面。如果你能提炼出对这些因素的认识，而且超越"看起来还可以"这一基本要求，你就有

能力左右结局。你必须看起来比较干练，因为干练意味着成功和自信。然而，潜意识里有很多东西都在发挥作用。挖掘这些东西对控制自己所塑造的形象起着关键作用。看起来很有条理对你有利，还是看起来随性对你有利？你希望看起来更温柔，还是希望更时尚？是保守一点，还是前卫一点？

我的工作需要经常区别这些风格。比如说，新近走红的明星凯茜打电话给我，说她要为自己参演的百老汇歌舞剧录制一张合唱唱片。凯茜的担忧是什么呢？凯茜的公关人员请了许多记者，这些记者整天都在工作室里乱转，让她非常头疼。我不能让她盛装打扮，好像她要走红地毯那样。她要看起来漂亮，要像个明星，而且还要看起来像一个努力录唱片的漂亮明星。

她需要的服装也不是要为百老汇音乐录音发布会准备的服装，因为根本就没有什么发布会。选择什么样的衣服，取决于我们如何解读这一情况和我们想传达出的信息。最终，我让她穿了一条华丽而柔和的深蓝色宽腿裤，配了一件实用的奶白色真丝衬衫，衬衫的光泽提亮了她脸部的肤色，外面搭了一件翠绿色的羊毛开衫，羊毛开衫的颜色突出了她那双漂亮的绿色的瞳仁。我还让她佩戴了大量的首饰。这样的形象自信而又谦逊，有明星气质又有亲和力，既漂亮又职业，她就是这些名词的集合体。那天晚上她打电话给我说大家称赞了她一整天。

有意识的穿衣搭配不仅仅意味着知道鸡尾酒派对上穿什么衣服和初春时节如何穿衣之类的常规穿衣打扮方式。有意识的穿衣搭配要复杂得多。我不希望你遵循鸡尾酒派对上穿什么衣服这样的规则。我希望你问自己，你希望在鸡尾酒派对上收获什么？然后根据自己的愿望来穿衣打扮。在这个聚会上，你是不是既会见到自己的朋友，又会遇到工作上的熟人？如果是，你需要一套既适合派对又能代表你的职业形象的服装。当你在派对上四处游走时，这套衣服要足够漂亮到能吸引吧台边那个有趣的家伙。如果在聚会上，你将和男友的父母见第一面，那你要考虑你所希望留下的印象，等等。

这个方法不仅能够运用到你提前知道的重大的特殊场合上，也可以运用到日常生活中。思考衣服所传达出来的不同含义，是解决穿衣难题的一个有趣而实用的方法。最近，我称赞了一位朋友与我一起吃午餐时穿的衣服。这位朋友毫不费力就很时尚。她穿了一件灰色的印有白色小圆圈的丝质衬衫，尖领，扣子一直扣到脖子，搭配了一条不对称的高腰灰色裤子和一双灰色高跟短靴。她说她那天想走"复古记者"风。我非常喜欢她那天的做法。她不是胡乱套上自认为比较搭配的衣服，她脑中有搭配衣服的想法。也许是受到那件丝质衬衣的启发，基于这个想法，她将所有的单品都拼凑起来。

无论你的态度非常轻松，还是非常严厉并且希望获得很多收益，按这种方式打扮自己能够获得很好的效果。当你所思考的不仅仅是自己穿这件衣服是否好看，还有你扮演什么样的角色时，你就能够掌控你所塑造的整体形象。你可以根据场合的不同转换成不同的角色。

掌握对比反差

关于和谐这一规则，有一点需要补充：对比反差是让服装独特、时尚和别致的好方法，但是这种对比反差必须是经过深思熟虑的结果，而不是无意间的大杂烩。

对比反差是一种更高级的造型方法。如果你想尝试这种方法，要将两种对立的类别组合在一起：强硬对娇弱，上身前卫对下身柔和（或者反过来），柔软对粗糙。经典的对比反差就是一件小西服或者军装夹克配一条端庄的印花连衣裙，再搭一双前卫的高跟鞋或者靴子。

你可以将相对的风格和组合搭配在一起，你同样可以将相对的材质搭配在一起：长绒毛衣外套的舒适配连衣裙的飘逸柔软，绸缎衣服的光泽配粗布衣服的凹凸不平。

这是一个有趣的游戏，会带来意想不到的效果。但是，追根到底，一切都要回归到和谐。这些对比反差必须能够相互协调成为一个流畅、有意义的整体。这也意味着我们肯定会进入一个具有挑战性的领域。如果你没有把握，在没有征得时尚小伙伴的完全同意之前，一定不要轻易尝试。（如果他不在现场，把自拍发给我，我保证会立刻回复你。）

选择一双合适的鞋子

—

你可能听过一句老话："鞋子成就一个（女）人。"实际上，鞋子对一套衣服的整体效果起着关键作用。关于鞋子的问题，大概都可以写成一本书了。虽然鞋子离我们的脸最远，但是它们的确经常受到人们的关注。我们迷恋鞋子，我们会注视路人的鞋子，甚至会在大街上问陌生人脚上的鞋子在哪里买的。与女性身上的其他物品相比，鞋子是这个女性的缩影。她是否性感、朴实、忙碌、重要？她是否粗心、懒散、不好接近？她是杂志编辑还是银行家？她们可能穿着同样的制服，但是鞋子的选择（以及其他的配饰）通常有所不同。

通过观察鞋子，我们可以快速获得丰富的社交暗示。如果鞋子不合适，很容易看出来。有多少次你在最后一分钟用一双不合适的鞋子毁掉一套很不错的打扮，然后整晚都在为自己所做的选择而后悔，就好像一个青涩的少年被排除在毕业舞会之外？

鞋子是一件大事。如果要盘点我这些年来从塑造形象中学会的事的话，那就是，女性通常对鞋子问题很情绪化。让我从头说起，如果是脊椎不好或者脚的问题让你困在自己的房间里，那我们要找一个解决方法。但是必须要说明的是（我想你已经知道我要说什么），高跟鞋总是等同于有女人味、优雅、性感。在我看来，选择一双能够让双腿更长、让自己看起来更高，能增强整体效果的鞋子总是不会出错的。

我敢肯定，你也知道自己穿高跟鞋非常好看。我为什么知道呢？如果我问你，你在参加婚礼、正式场合，或者求职面试时如何打扮自己，十次有九次，你都会选择高跟鞋。正如我一遍又一遍地重复，如果你希望把搭配功力提升一个级别，你就要在平时生活中尽量多穿你为特殊场合准备的衣服。这并不是说你要穿着晚礼服去超市，而是说，如果你用一双性感的高跟鞋替代木底鞋（再加上富有个性的项链、手镯或者耳环，这一点一直很重要），牛仔裤立刻就会传达出一个不同的信息。穿上高跟鞋，即使不那么完美的服装也会看起来很不错。

有很多品牌都有时尚、好看而舒适的高跟鞋，所以你就没有理由说你找不到一双为特殊场合准备的高跟鞋，也没有理由找不到一双连续穿几个小时也不会感到不舒服的基本款高跟鞋。逼迫自己去找那样的鞋子，找到了就买下来。细高跟鞋不是唯一的选择，世界上有各式各样的带跟的鞋子，就好像有不同程度的水洗牛仔裤一样。如果你追求舒适，那就找一双厚底、低跟的鞋子；也可以选择坡跟或者松糕鞋。你要知道，你越高，你的双腿就会越好看。

有时，高跟鞋不合脚是因为鞋子内包头缺了一块垫子。但是，好品牌的鞋子通常都会在这个区域安放垫子。如果你喜欢一双薄内包头的鞋子，那就找个鞋匠修一修，让他多加一个具有缓冲作用的鞋底。

真正的难题在于找到一双不带跟、既舒适又漂亮、同时还有女人味的鞋子。在我看来，平底鞋有点太随意，缺少一点味道。所以，如果你一定要穿平底鞋的话，尽量选择一双有女人味、有吸引力、有趣的鞋子，要么颜色比较抢眼，要么细节处理得到位。芭蕾鞋的线条优雅，如果你想凸显双腿的话，芭蕾鞋是最好的选择。莫卡辛软帮鞋、驾车鞋、经典乐福鞋看起来比较笨重，最好与裤装搭配，不要搭配裙子。

我知道，买鞋有时是一件让人沮丧甚至忧伤的事，但是不要放弃给自己的双脚找一双适合的鞋子。即使你不喜欢在网上买鞋，你可以在美捷步和亚马逊这样的网站上事先浏览鞋子的款式。这些网站的用户非常关注鞋子的舒适度。如果你发现某些品牌适合你，每隔几个月就去看看那个品牌，看看他们有没有值得试试的鞋子。

根据完美10分的衣橱标准（我们在下一章将会讲到）来挑选，你最终发现自己所有的鞋子都非常棒。其实，搭配就是一双合适的鞋子配了一套合适的衣服、一件合适的外套和一个合适的包（以及合适的配饰、合适的妆容、合适的发型）。这就是为什么一谈论到鞋子，最重要的词汇就是试穿、试穿、试穿，还是试穿。在你还没有把衣橱里的每一件单品都列入大脑中或者实实在在的时尚手册（第六章将会讲到）里时，你需要大量的尝试，而且会犯很多错误。所以，穿上你的衣服，选择几双你觉得合适的鞋子，然后一一穿上试试，看看哪双最好看。多尝试几双鞋子的这种想法就是一个小小的改变，但是它却能带来奇迹。

配饰，配饰，配饰

我了解你，你是极简主义者。白色的 T 恤衫搭配卡其裤，有时会戴耳钉，偶尔戴手表。你反感配饰的原因其实是害怕和困惑。

只有一个包、一条项链的女性会好奇，谁会拒绝摆脱配饰的烦恼。尤其是当她有重要的事要做或者有别的事情要做，会自我安慰"成熟的女人不需要更换钱包"。疲惫不堪的新手妈妈有时都没有精力洗澡。（不是讽刺你，因为我了解忙碌的妈妈们的日常生活，首饰总是被最先扔掉的。）

其实大家都错了，因为佩戴配饰可能是改变服装所传达的含义的最有力的方法之一。配饰能够让不是那么好的服装在任何场合都出彩，它们也能让一套不错的装扮更加出彩。

穿衣风格有问题的女性通常忽略所有配饰，把配饰看成一种根本不用考虑、可有可无，或者更高层次的搭配手段。如果你也是这样的，那就别想跳过这一章。

许多人都忽略了首饰。适合你的首饰就像适合你的颜色一样，能够提亮你的肤色，其中的道理跟摄影师拍照时需要打光是一样的。大部分首饰都是用黄金、白银、钻石、水晶、玻璃、珍珠等有光泽的材料制成，这是有一定原因的。这些小玩意儿既可以捕捉光线，也能够反射光线。它们把人们的目光吸引到漂亮的脸蛋、纤细的腰部，以及细小的手指上。首饰的珠光宝气能够让 T 恤衫、牛仔裤和配饰立刻变得奢华，也能够让疲惫的新手妈妈们的装束看起来还可以接受。因此，在配饰上花费时间是值得的。如果你掌握了这章里关于颜色的指导，选择了适合自己的色系和首饰，你全身的色调会发生很大改变。

不管是首饰、围巾、腰带还是包，配饰的特质是有能力改变我们的衣服所传达出来的信息。跟你穿在身上的其他东西一样，关键的问题总是"它表明了什么"。这些配饰给整体效果增添了什么？配饰也许不大，却能以惊人的方式改变我们的装束。一条甜美甚至有点过于少女的印花连衣裙，系上一条粗糙的编织腰带，整个风格突然就变得前卫。腰带增加了衣服的围度，通过增加材质和颜色制造出复杂、有趣的对比反差。（腰带同时也能塑造腰线，腰带总会带来好处。）穿上一双前卫的高跟靴子，戴上一对手镯，你就准备好了一套装束。装束的好坏在于细节，这些细节起着至关重要的作用。配饰是将所有衣服组合起来的主旋律，是让你的衣服出众的东西，是让整套衣服看起来是属于你的风格的秘密武器。

如果没有亲眼看见的话，即使是职业的造型师也无法预料哪些配饰适合你。所以，一定要在镜子前仔细对比自己所选的配饰。黄金项链配一条红裙子可能比较好看，但是如果裙子有花纹装饰，而且项链是一条金片双链，那么这条项链就有可能让颈部看起来很繁乱。相反，如果你穿了同一颜色、同一材质的服装，那么你要佩戴一些比较大、有质感的配饰来打破整片颜色。当然，不要忘记看看整体效果，以及配饰与鞋子、外套等之间的搭配是否和谐。你所选择的鞋子无疑会影响配饰与一套特别的衣服的搭配效果。

让客户习惯佩戴配饰是一件既有挑战又收获颇丰的事情。许多人都害怕佩戴配饰，但是当她们喜欢上配饰，当她们开始尝试搭配不同的配饰时，我能从她们的衣服上发现亮点。搭配配饰其实就是成年女性版本的玩弄妈妈的首饰盒。搭配配饰是件有趣的事，当你在其中找到乐趣时，你就成功了。把搭配配饰这件事情当成每天早晨沉迷于打扮自己的一部分，你就走向成功了。

考虑妆容

—

为什么这一章叫"如何穿衣"却包含了发型和妆容呢？因为我的这本书不光教大家如何穿衣打扮，还涉及你的外貌，能被他人看到的、评价的一切。外貌最终会导致我不断提及的人们做出的快速判断。

发型和妆容必须被看成装束大改造的一个内在组成部分。这两者都有各自的颜色、纹理和含义，所以，为了塑造一个和谐的自己，忽视它们，你就会有危险。

让我们乘坐时光机回到你婚礼的那天。捧花备好了，婚纱熨好了，婚礼的重要成员也就位了，该是你闪亮登场的时候了。你会洗洗脸，梳个马尾辫，然后扑上一点腮红就出现在大家面前吗？我觉得你不会那么做。让我凭经验猜测一下，你会在最后一刻还咨询化妆师、发型师，并且试试整体效果，之后，你会带着清新、自然、漂亮的妆容出现，你还是那个你，但是看起来比以前的你

更好看。头发故意没有盘起，几缕弯曲的头发自然地垂下来，用来修饰脸型。

即使是坚持不化妆的人和讨厌盛装打扮的人也知道，如果需要展示自己，就要用上所有的美容武器。你会用很多化妆品，让自己看起来尽可能地自然，遮盖你原本的肤色。你会拉长睫毛，你会让双颊拥有健康的色调，你会让整个人看起来更加丰富。你会花点时间让自己的发型精致，而且光彩照人。

我不是说你应该让发型师和化妆顾问随时随地满足你的要求（假如你需要的话，我有一些朋友非常愿意与你保持联系），但是我希望你能够好好思考自己能够付出多少。如果你已经知道哪些单品让你看起来十分完美，为什么还要选择其他单品？有些东西存在的目的就是让你美得没有任何瑕疵，你又为什么不使用它们？我并不是说要买喷绘面膜，而是说要尽可能地淡化自己的缺点（黑眼圈、不好的肤色），同时最大化自己的优势（眼睛、骨架、嘴唇）。有很多方法可以把化妆师的知识低调地用到自己的日常装束上。

如果从来没有专业人士给你化过妆，我强烈建议你去商场或者附近的"丝芙兰"，申请化妆体验。为了更好地体验化妆，你甚至可以请一位化妆师到家里为你化妆。但是要明白，你需要的是学习如何自己化妆，让化妆师教你白天和夜晚分别如何化妆，让他推荐一些需要购买的化妆品。如果没人在你身边教你，你也可以遵循这些建议：

知道化到哪种程度就可以了。肤色较深的女性和浅黑型女性通常有很清晰的特征，不用过多地化妆。然而，从另一方面来说，她们的脸也能驾驭很浓的妆容。对于金色头发和红色头发的女性来说，淡淡的妆容就能引人注目，也就容易造成妆容过浓——如果妆容不足，她们的特征很容易被忽视。

把化妆品当成修正物。肤色较深、眉毛浓密、眼睛深陷的女性，面部皮肤天生比较黑，面部轮廓比较明显。烟熏妆会加强这种特征（因此晚上比较合适），鲜艳的口红会提亮整个脸部。如果你的睫毛比较稀疏，那么睫毛膏就是你出门必带的第一件物品。如果你的肤色基调有点偏黄色和绿色，一定要用暖色调的腮红。

把化妆品当成增强剂。想想你的优势在哪里。如果你的嘴唇比较好看，用色彩突出它。如果你的眼睛比较吸引人，涂上黑色的眼线，让双眼显得更大。（眼睛是比较麻烦的问题，所以一定要咨询化妆师，找到符合你肤色、眼睛颜色和骨架的化妆方法和技巧。）

周末别丢掉你的化妆包。尤其是当你的穿着比较随意时，化妆对于你看起来是否有精神至关重要。如果你不喜欢休息的时候化妆的话，那么就从画一点眼线、涂一点口红开始。

不要害怕太过招摇。我的一位客户终于开始使用并喜欢上有趣的、鲜艳的口红。这些口红都是她工作时收集的，已经收集了很多年。克服了起初的不适，她发现她收到了潮涌般的称赞，比如"你像个漂亮的吉卜赛女孩""你突然变得好时尚"。（她甚至还没有大量地改变自己的衣服。这就是口红的力量。）

特别是当你买眼影和口红的时候，一定要运用化妆师教你的化妆品知识和使用方法，同时结合第四章"色彩的力量"里面关于色彩的知识。

最后也是最重要的，别忘了妆容与衣服之间的和谐。一套比较暗淡的衣服可能因口红的颜色比较鲜艳而改变，然而，颜色鲜艳、图案纷繁的衣服需要更柔和的色调。要让自己身上的颜色不冲突，你要囤积不同颜色的口红和眼影，一旦需要，你就可以把它们拿出来。

完美的发型

一

不完美的发型通常都是这样造成的：从杂志里面挑选一些喜欢的发型图片，然后让发型师照着图片给你剪。完美的发型和发色不是模仿自己的偶像，只有与合拍的造型师真诚交谈后，才能找到完美的发型。

要找到合适的发型和发色，你需要做的第一件事就是找到适合你的造型师和配色师，我一直强调这一点。如果你的造型师剪出的发型、染出来的发色无法让你获得很多赞美，也不值得你推荐的话，那么你应该研究一下哪位造型师适合你。我所说的研究就是严肃、认真、系统地探究。就像你找救命医生一样，你应该花同样的精力寻找一位造型师。问问你的朋友（发型不错的朋友），问问办公室的女同事，问问看孩子踢足球时遇到的有着你一直都渴望的发色的那个母亲，问问排队看电影时遇到的陌生人，问问他们在哪里做的发型。说白了，发型是你每天必须戴的帽子，你应该做个适合自己的发型。下面几点建议你应该记住。

合适的造型师会让你一点点走出你的安全区，就像私人教练一样，通过健身展示最好的你。找一个你信任的人，跟他讨论一下最适合你的发质、脸型和生活方式的发型。诚实地面对自己，如果你不擅长打理头发，或者你无法保证一星期做三次定型，那你要选择干得快、易打理的发型。

发型师和配色师可能不是同一个人。配色师是色彩行业的化学家和艺术家，他们的作品可能让人赞不绝口，却完全不适合你。如果寻找造型师时你可以很拼命的话，你也应该同样拼命地寻找一位配色师。头发的颜色也很重要，跟衣服和化妆一样，强调颜色的重要性一点都不为过。有些女性天生的发色就适合她们，头发的色调能够凸显她们的面部和眼睛，有些女性则不然。如果你属于后者，你需要仔细选择适合你的发色，让发色凸显自己的特点，给全身的色调增加一点趣味。

仔细研究自己的头发，就像对待衣橱一样。斟酌你的发型所散发出来的信息，想想这些信息是否适合你的年纪、职业、渴望和梦想。卷曲的头发可能让你看起来友善、有亲和力。我非常喜欢头发天然卷曲的女孩，她们天生基础很好。如果你渴望性感、美丽，那就选择烫发。长发很漂亮，但是需要用很多精力来打理。丸子头看起来青春靓丽，但是有时让人联想到图书馆问讯处的工作人员。

没有找到十分完美的发型之前不要放弃。有很多人都认为发型是不可变的，也无法掌控。我们的发型要么很完美，要么很糟糕。其实不是这样的！你有掌控发型的能力，只是你自己不觉得而已。

拥有什么样的发型取决于你如何对待自己的头发。

如果你的发质不错，那就尽情地炫耀吧！要保持头发健康闪亮，尽可能地将头发散下来。

随着我们年龄的增长，我们的头发变得稀少，也失去了光泽，头发的颜色也会发生改变。我一点都不讨厌漂亮的银灰色短发，但是好不好看全都取决于灰的颜色。如果银灰色的头发让你看起来惨白、疲惫，那就咨询配色师。要选择较浅的灰色，或者选择比肤色稍微浅一点的颜色，抑或增加一点其他颜色，从而增加脸部的光泽。

如果你的头发很稀少、干枯、易断，那么你应该选择短发。不管是修剪整齐的波波头，还是奥黛丽·赫本式的短发，你的头发都会看起来更充盈健康。我喜欢女性剪短发，让头发利落地扫过脸庞。这种发型看起来很优雅。同时，假发或者接发也没有什么不好。关于接发的问题，你可以咨询造型师，许多好莱坞明星长发的秘密就是接发。

忘掉时尚潮流，也不要关注模特和明星们的发型。发型非常重要，但不能受到潮流波动的影响。

至于如何绑头发，要注意发型是否跟你穿的衣服搭配。有些衣服需要在头顶盘一个发髻，有些衣服需要你把头发松散下来。发型取决于很多因素，包括领口的类型，服装的风格、颜色和材质。（比如说一个穿着棕色衣服、肤色浅黑的人，如果将头发松散下来就可能会被淹没在泥土一样的颜色中。）总结何时应该把头发扎起来、何时应该放下来并不容易，因此你需要花大量的时间照镜子。试一试把头发扎起来，再试一试将头发放下来，看看哪种最适合你。这是最容易获得答案的方法。

时尚造型检查清单

虽然在下面几个章节我们会直接用到我的时尚准则，其实你现在就可以将一些基本原则运用到日常生活中。因为，穿衣搭配取决于你照镜子的效果。每次走出家门之前，你都应该按照下列标准来检查自己的装扮。

1. 检查衣服是否合身。你穿的衣服是否合身？如果不合身，赶紧把它脱下来，扔到那堆"也许保留"的衣服里。我们在第五章将会一件一件地评价你的衣服，但是，你可以尽早着手这项工作，多早都不算早。

2. 检查衣服是否凸显你的特点。衣服只是合身还不够，还必须能够凸显你的特点。所以你需要照照镜子，保证衣服至少要凸显一项你的优势。你不用每天都炫耀乳沟，但是衣服的剪裁一定要能够展现某个身体部位。

3. 检查颜色。这里要用到你在第四章所学的知识。这些知识随时能用到你生活的方方面面。随着我们一点点地深入，扔掉那些颜色不适合你的衣服（而且应该多囤积一些颜色最适合你的衣服），检查衣服的颜色会变得越来越容易。如果你所有的衣服都非常适合你，你肯定不会出错。然而，你还应该保证衣服之间的颜色相互搭配，而且适合某个特定的场合和你的心情。

4. 检查整体是否和谐。你穿的衣服是否和谐？衣服的款式、图案、颜色、风格以及材质是否能够搭配成一个好看、和谐的统一体？

5. 检查衣服所表达的含义。回想我那个经典的问题：它表明了什么？你希望服装表达什么含义？服装的含义符合你当天的目的吗？符合那个场合、那个时刻吗？你的衣服让人觉得悲伤，还是轻松愉快？不管是颜色、图案还是款式，所有的服装都应该带有一点幸福感、一点趣味因素。是否有特别刺眼的衣物？我通常认为，女性常犯的错误是饰品太少，但是可可·香奈儿的建议是，出门前照照镜子，尽量减少一样饰品。

真理小锦囊

日常生活反映了你的哪些信息

很显然，我认为每个人都可以拥有好的穿衣风格。好的穿衣风格不是一种固定不变的状态，也不是内在品质，而是有意识地每日练习的结果。因此，仔细观察你的日常习惯对我们追求的重大转变至关重要。仔细想想自己的穿衣风格，你就能够更好地掌控个人转变的历程。

裙子上的图案说明了你的什么？拿出你的时尚小黑书，记录你对下列问题的回答：

检查你的日常生活。 每天早晨你是如何度过的？梳妆打扮时注意自己的感受。如果每天早晨都是一片混乱，那就扪心自问，你是否知道造成这种混乱的原因？你能不能找到改善这一状态的具体方法？提前十五分钟起床，或者前一天晚上把衣服熨好？

注意合身的衣服的特点。 衣橱里有哪些衣服比较合身？哪些因素让这些衣服比较合身？哪些因素造成不合身？你是不是想躲藏在帐篷一样的衣服里，用一块布来掩盖"问题区域"？你是不是尽管知道衣服不合身还是坚持购买，因为你觉得"反正所有的衣服都不适合我"？

注意自己的选择。我的一位客户总是不停地照镜子，然后对自己说："嗯，这样穿看起来很奇怪。"然后就出门了。我花了很长一段时间才弄明白这种奇怪的行为。你对此熟悉吗？你是不是有时（或者经常）穿着不满意的衣服就出门了？如果是的，一定要找到问题的根源。是缺少基本款来搭配吗？还是因为其他不可告人的原因故意破坏自己的形象？有时我们害怕因自己的美丽而引发一些意想不到的事情。这是影响你的一个因素吗？问问自己，为什么"看着比较奇怪"和"还可以"成为你的穿衣标准？

检查自己的盲点。自我形象的哪些缺陷让你视而不见？发型？妆容？配饰？外衣？问问自己为什么会对缺陷视而不见。是不是不知何时起就放弃了自己的发型？是不是认为化妆是一件麻烦事？如果你的首饰全都乱七八糟地堆在一起，那你该整理一下项链，看看自己的首饰盒里面还有什么宝贝。

尽量让穿衣打扮的过程变得有趣。你最愿意为哪种场合穿衣打扮？是跟闺蜜一起晚上外出，是聚会，还是出席特殊活动？分析一下原因，能不能在日常穿衣的的过程中也带着同样的心情？早上穿衣服的时候很难拥有参加摇滚乐聚会时的那种心情（手中拿鸡尾酒悠闲地看着一切），也许有些小事能够让你心情明朗，比如听听有趣的音乐。如果你不喜欢早起，那么前一天晚上就准备好衣服。

附言

去健身房如何穿衣打扮

也该谈一谈去健身房如何穿衣了。没有什么地方比健身房更能让我兴奋。你一定觉得在健身房（瑜伽教室或者公园）可以肆无忌惮随便乱穿。完全错误！因为在这些场合，你未来的丈夫、下一位客户，或者未来的好朋友可能就在你身边，却被你吓跑了。

健身房是结交朋友的好地方，我的一位客户在纽约高档的健身房里招揽了很多客户。即使你不喜欢在大汗淋漓时社交，我坚信，不管什么时候，我们穿着感觉糟糕的衣服出现在公共场合都会影响自己的心情。过大的破洞牛仔裤不会让你看起来沮丧，但是你也不会因此而光彩照人、活力四射。尤其是当你走进一个如此注重身材的房间，穿着让你尴尬而不自信的衣服肯定会影响你的感受。

　　看起来漂亮而且知道自己漂亮让你的步伐更加矫健，很有可能让你第一次去健身房就成了焦点人物。我所谈论的都是为了自己想要的生活而穿衣。至于在健身房，就意味着为了你渴望的身材而穿衣。有的健身行头清新干净，材质奇特，出自当今懂行的女式紧身衣大师之手，而且能凸显身材，这些都成为鼓励你去健身房的因素。

　　由于我对这个话题感受非常深刻，我把健身房穿衣哲学总结成一个清单，告诉大家哪些可以做、哪些不可以做，即：

　　1. 不要穿男朋友的、丈夫的、哥哥的，或者其他男性的衣服去健身房。这是最重要的准则，一定要把它放在清单的第一条，希望对你们有帮助。

2. 如果你已经不是高中生或者大学生，那就不要穿着高中或者大学时候的衣服去健身房。

3. 不要穿太大的衣服做运动。

4. 不要穿平时打扫房间或者洗车时穿的衣服做运动。

5. 不要穿不搭配的衣服，也不要穿颜色组合夸张的衣服。（小丑学院的毕业生才穿着上身硕大的帐篷做运动。）

6. 不要穿破旧的运动鞋，也不要穿腋窝已经泛黄的T恤衫。

7. 穿塑形的裤子和紧身裤。

8. 找一件非常合身、能够凸显身材的上衣，各种颜色都买一件。（如果你不是拥有天生的运动体格的人，那运动衫肯定不是最能凸显身材的衣服。选择有型的、纤细的上衣能够凸显女性的曲线。）

9. 要为自己的健身打扮感到骄傲，就像你为其他装扮感到骄傲一样，这种新造型也会让你看起来非常有精神。

Chapter 3

清单——衣橱必备的 22 样物品

如果穿得不体面，人们记住的是衣服；
如果穿得光彩照人，人们记住的是人。
——可可·香奈儿

每个人都能穿得光彩照人，
但是令人最着迷的是人们的日常装扮。
——亚历山大·王

每个人需要的衣服有所不同，读完第五章衣橱大清理后，你会更好地把控自己的衣服。尽管如此，我觉得有些永恒不变的基本款衣服值得每位女性拥有。很多基本款的衣服，大家都耳熟能详。这一点，我不会对你说谎，（我从来不会对你说谎！）不管书上、杂志上，还是网上，总结出来的基本款衣服都相差不大。

这有一定的原因，而且原因也很简单：这些衣服好看。在很大程度上是因为它们体现的是流线型的、标准的身形。在这种身形上，你可以堆上一层又一层、各种各样的衣服。这些衣服穿在身上好看，是因为"经典"通常意味着"简单而且制作精良"——这些衣服适合各种体形，而且可以演变出无数种风格的衣服。

这些经典的衣服，可以搭配时髦的或者因价廉而冲动购买的衣服，这些衣服是你整个衣橱的基础。你应该把钱花在这些衣服上，它们永远不过时，质量越好，能穿的时间越长。这些衣服有各种各样的穿法，在这些衣服上的投资会带来比你想象的大得多的回报。

除了实用性外，装满质量上乘的基本款衣服的衣橱是一个丰富、舒适、完整的衣橱，你会更乐意打开衣橱门。不管你当天有什么安排，你都知道衣橱里有自己想要的、让你出众的衣服。

完美 10 分的衣橱

—

在看到我的基本款衣服清单之前，我要介绍一个基本理念，每次买这些基本款衣服时都要运用这一理念，甚至每次你准备把一件衣服买回家的时候都要运用这个理念。准备好了吗？

这个理念就是你衣橱里的每一件单品都必须是完美 10 分的衣服，除此之外，没有其他衣服。

给你一点时间思考。以往的经验告诉我，你可能需要时间来思考。很多女性第一次接触我的"完美10分的衣橱"这一理念时，都会看看我，好像我让她包一架丛林越野飞机去偏远的阿拉斯加的村落开展殖民活动。我觉得太不可理解了。坦白地说，时尚根本没有那么复杂。我敢肯定你完全能够掌控这项耗时间、耗精力和需要智慧的活动。

如果你认为这个理念很难理解，或者认为"要想衣橱里所有的衣服都非常完美，没有无用之物，需要付出很大努力"，反映出了很多问题。难道不是因为非常喜欢某一件家具，你才把它买回家吗？想想你挑选新沙发、新餐具时的小心谨慎。难道不是在自己预算允许的范围内尽可能地制定一次最好、最值得回忆的旅行吗？我猜你肯定会那么做。所以，为什么区别对待你的衣服呢？如果你想想提升自己的穿衣品位，那你就必须提高挑选衣服的标准。

我知道你在想什么：怎样才能在目前的状态下实现完美10分的衣橱呢？你不是时尚造型师，也不是百万富翁。但是这样想一想，如果我告诉你电影拍摄组即将来到你家门前，把你当成明星，准备拍真人秀。为了避免你临阵脱逃，请接受这高风险的挑战，你没有后路可退。你必须为电影拍摄组开门。（虽然让他们等待也没什么不好。）你打算穿什么衣服？我敢保证你的心跳加速，同时我敢肯定，起初你会乱作一团，但开门的时候，你肯定看起来非常漂亮。

我想说的是，你的衣橱里都是完美10分的衣服。你已经知道这些衣服的样子，在紧要关头，你就会把它们拿出来。不管是工作面试、第一次约会、重要的会议，还是最后一分钟的电视出境，我们都会穿完美10分的衣服。

这对我们有什么启示？你真的认为平时就不重要吗？平时就没有风险吗？只是我们没有看到风险而已，或者我们事先并不知道风险的存在。我们的大部分时间都不会有重大活动，不要只为你知道的活动穿衣打扮，而不为那些你不知道的机遇穿衣打扮。我希望你做的是及时行乐，不放过任何一个可以变得时髦的机会。

不管我们能否实现目标，完美10分这个概念是一个非常有影响力的目标，它让我们拥有更高的标准。我知道不是每个人每天都可以实现目标，对我们很多人来说，每天都是7分就是一个很大的进步。10分？那是很难完成的目标。因此，为实现完美10分而努力就肯定会有收获。

如何识别完美 10 分的衣服

一

完美10分的衣服可以是正装，也可以是休闲装。一件套装可以是10分，一条牛仔裤也可以是10分，甚至一件T恤衫或者上动感单车课穿的运动服都可以是10分。10分的衣服符合你的身形，能够突出你身上的优势，同时隐藏你的问题区域。10分的衣服包括一种或者多种颜色，这些颜色让你看起来气色好、健康，而且突出你的眼睛，也适合头发的颜色；10分的衣服总是处在最好的状态，面料看起来崭新、清新；10分的衣服是让你获得最多称赞的衣服。（注意那些称赞，那些称赞是人们如何看待你的衣服最直接的线索之一，它们是视觉定位仪，告诉你何时在朝着正确的方向走，何时在朝着错误的方向走。）

更重要的是，完美10分的衣服让你感觉很好。当你穿上完美10分的衣服，你觉得找到了最棒的自己。你觉得自己有魅力、有自信、有活力，而且强大。世界是你的，没有什么能够阻挡你。

我相信，你生来就有能力找到完美10分的衣服。读完这本书，你的眼光会更加敏锐，你更加能够从满是衣服的衣架里找到10分的衣服。但是现在，你每天都要用各种方法找到完美10分的衣服。是什么阻碍了你前进的步伐？

购物清单

—

在你开始熟悉购物清单上的物品时，请牢记完美10分的理念。这份购物清单罗列了每个女性都应该拥有的必需品。季节不同，你可能需要买两倍、三倍，甚至四倍这些必需品。从中性基本款开始，当你置办完基本款后，你可以通过衣服的材质、细节设计和颜色，慢慢增加衣服的多样性。

从前，你因为经典款太沉闷而没有购买，或者因为你更喜欢那些看起来更有趣的衣服而没有购买经典款，并不是只有你这样。我看到很多客户的衣橱里都缺少这些经典款，却充满了超短裙、长裙和过多的背心。要注意，这个清单里的衣服能够避免"没有衣服穿"的情形。我想你对这种情形非常熟悉。有了这些衣服，你不再因某些衣服不实用而不断妥协，采取权宜之策。这些衣服能够让你感到安全，让你相信自己有能力应对任何场合。这些衣服并不沉闷，它们有很多可塑性。你怎样穿它们全都取决于你自己。

不用多说，这个清单上的每一件衣服都是10分。真正的转变从此开始，通过仔细挑选的完全合身的基本款表明你注重衣服的质量。用那些合适、质量上乘、任何场合都可以穿的中性风格的衣服取代那些没经过思考就穿上的日常基本款，你的形象会立刻发生转变。同时，你可以根据这些衣服挑选满足自己特殊需求的衣服，你就完全可以掌控自己给他人留下的印象。清单如下：

item_1　经典小黑裙

　　虽然我不建议金黄色头发和红色头发的女性穿黑色衣服（下一章我会详细讲），但是小黑裙是个例外。经典小黑裙在任何场合都可以穿。没有小黑裙衣橱就无法运转。（如果你不相信我，看看可可·香奈儿、奥黛丽·赫本、唐娜·凯伦。）如果衣橱里有一条小黑裙，在被邀请参加即兴活动时你就不会惊慌失措。你可以配一件紧身衣和一双靴子；也可以配高跟鞋、个性的首饰和引人注意的妆容；还可以配一件小西服和一双平底鞋。简单、纤瘦、高挑、精致、成熟、有味道、自信，所有这些信息都表达出来了。

　　附：小黑裙不一定要小巧，但是一定要简单、稍微朴素一些。款式可以是直筒型、A 字型、修身型、挂脖裙子、抹胸的、有褶饰的、裹身的，定做的或者飘逸的，全都取决于你的喜好。完美的小黑裙既符合你的性格，也适合你的身材。

The Classic Little Black Dress

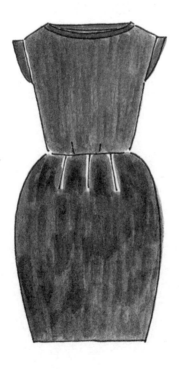

item_2　性感、完美的裙子

对于有的人来说，小黑裙可以兼备这个功能。不管怎样，所有人都应该找到一条神奇的裙子，我称之为"命中注定的裙子"。这条裙子不是你想买就能买到的，而在你意想不到的时候会听到它对你的召唤。你要留心它的召唤，因为完美裙子的力量不可小看。如果这条裙子的颜色非常适合你，款型也很适合你，它能让整个房间安静下来，为你赢得很多口哨声，能宣告你的到来。不管是红色一字抹胸裙，还是黑白圆点挂脖裙子，抑或是条纹太阳裙，你所穿的裙子能够代表你，让人迅速认出你。不要担心频繁地穿这条裙子，你就准备听赞美吧。

　改变你的服装，改变你的生活

The Sexy Pull Out-All-The-Stops Dress

item_3 铅笔裙

　　每位女性都应该有一条漂亮的黑色或者深蓝色的基本款铅笔裙。基本款铅笔裙的款式很完美，面料也极好。配一件丝质衬衣，穿到办公室，你会气场十足。配一件抢眼的吊带衫和一双漂亮的高跟鞋，既适合在家里穿也适合参加鸡尾酒会时穿。配一件舒适的羊毛衫、紧身衣和一双轻便的高跟鞋，你就变成了性感的图书管理员。（这样的打扮会让他撞到书架上去。）随着你不断增加、丰富你的衣橱，你需要多买些最适合你的颜色的衣服。头发金黄色的女性可以选择驼色，肤色浅黑的可以选择鲜红色，可以是花呢，可以是亚麻，也可以是丝绸，各种图案都可以。这是必不可少的。

改变你的服装，改变你的生活

The Pencil Skirt

item_4　完美的黑色西裤

虽然凯瑟琳·赫本经常用黑色西裤配平底鞋，但是我更喜欢黑色西裤配高跟鞋。很多女性的衣橱里都没有这条裤子，我相当惊讶。我知道对你们很多人来说，找到一条合适的裤子是一个挑战。但是缺少一条可靠、上乘、面料较好的合身的黑色西裤，你的衣橱就无法运转。在某个时刻、某个场合、某种心情，你肯定想留下好印象。在这些时候，裙子可能不是最好的选择。一件漂亮的丝质衬衣、一双高跟鞋和一条黑色西裤，你可以穿到任何场合，展示出自信、性感和力量。

现在各种款式、各种材质的西裤有很多，没有理由找不到一条适合你的西裤。我建议你去商场挑选西裤。商场里有各种选择，一定能让你找到你喜欢的品牌。一旦找到了喜欢的品牌，你要经常光顾。挑选裤子并不容易，所以如果裤子需要修改的话，不要感到吃惊或者失望。我的很多客户经常把腰身改瘦、把裤子改短。如果你发现臀部正好合适，你也有可能需要改腰。许多女性穿八码的裙子，却穿十码的裤子。

改变你的服装，改变你的生活

An Immaculate Pair of Black Dress Pants

item_5　合适的牛仔裤

想知道怎样才能让自己的身影看起来很性感吗？那就找到一条最适合你的牛仔裤，花点钱买回家，这样就可以！认真地说，现在专业的设计师在牛仔裤上的技艺可以跟法国缝纫师的技艺相媲美。这些牛仔裤适合不同身形、不同喜好的消费者。颜色齐全，从经典牛仔蓝到粉彩色再到最显眼的宝石色，各种颜色，应有尽有。有高腰牛仔裤、紧身牛仔裤、微喇裤、七分或九分裤，或者阔腿裤，有能够塑造臀部的、拉长双腿的、收臀的、收腰的，各式各样的牛仔裤。

除非你已经有了一条完美的牛仔裤或者心仪的牛仔裤品牌，否则一定要去商场，尝试不同品牌、不同水洗程度和不同款式的牛仔裤。购买牛仔裤可能会花很多精力，要做好心理准备。没有找到非常合身、让你满意得恨不得立刻穿上每一双鞋子都要试试的牛仔裤之前，不要轻易放弃。如果你找不到一条让你百分之百自信的牛仔裤，那你就要想想办法改变这一状况。如果你足够幸运，在低价区找到这么一条裤子（有些女性就没那么幸运），那你就偷着乐吧。

　改变你的服装，改变你的生活

The Ultimate Pair of Jeans

item_6　丝质衬衣

　　不管是领口有扣的衬衣，还是飘逸船型领的衬衣，一件合身的白色或者奶白色的丝质衬衣是所有基本款中的基本款。比起清单里面其他的衣服，丝质衬衣更能证明你提升上衣整体质量的承诺。许多女性的衣橱里都缺乏一件质量上乘的上衣。

　　我了解你的情况。你发誓（谁不会发誓呢？），有时你的衣服开销超预算，因为你的上衣总是没有其他衣服穿得时间长，你讨厌在上衣上花钱。最终结果就是，你买了一堆欠佳的、质量不好的上衣。上衣离脸部最近，它百分之百能（或者完全不能！）将目光吸引到你的脸上。它也百分之百能够影响你的仪态。所以，从一件漂亮、质量上乘的丝质衬衣着手吧！配一条铅笔裙，外面穿一件小西服，或者配一条牛仔裤（我喜欢这样的打扮），看看这样的打扮会给你带来怎样的惊喜。一旦感到一件好的上衣的力量，你一定会渴望买更多上衣，这种情况极有可能出现。不管怎样，好的上衣不一定非常昂贵，但是一定是你深思熟虑后才决定购买的。

改变你的服装，改变你的生活

The Silk Blouse

item_7　三件完美的 T 恤衫

　　它们的作用跟丝质衬衣相似，但是 T 恤衫可以在更为随意的场合穿。更换衣橱里的 T 恤衫是提升穿衣品位最有效的方法之一，有立竿见影的效果。事实上，选择完美的 T 恤衫是你最重要的一项努力，因为我们经常在便装上犯错误，常常让人大失所望。如果要提升穿衣品位，我强烈推荐你购买一件价格公道的 T 恤衫。好看的 T 恤衫，或者别人有的你却只能渴望的 T 恤衫的确需要很多钱。可以是詹姆士·珀思和 Splendid 的那些面料极好的 T 恤衫。这些 T 恤衫自然而然地提升了你的穿衣品位，同时也让你看起来掉了好几斤肉。便宜点的可以选择 AA 美国服饰、Banana Republic、J.Crew 的基本款 T 恤衫。不同款型的 T 恤衫都需要一件，小圆领的、船型领的、V 领的、大圆领的，囤几件中性色的和鲜艳的 T 恤衫。下一章我会讲到颜色。

改变你的服装，改变你的生活

Three Perfect Tees

item_8　羊绒套头衫

套头衫和一条宽松的裤子或者牛仔裤怎么样搭配才能显得精致又精神呢？答案是，选择一件颜色最适合你、非常漂亮的套头羊绒衫。如果你觉得面料的说明太精确，让你大吃一惊，那我猜测，你的衣橱里没有羊绒套头衫。就像丝质衬衣和质量上乘的 T 恤衫，上乘的羊绒衫的材质远远胜过那些次品。不管是 V 领、水手领、船型领还是大圆领，羊绒衫奢华的毛线不仅能让你感受到它那无可比拟的柔软，也会让路人注意到那显而易见的光泽。

山羊毛精致、奢华、随性，通常被认为是最精良的毛线。山羊毛是神奇的纤维，随着时间的推移会变得更加柔软、更加有活力、更加奇特。它不会起球，也不会变皱，它会一直保持原来的形状，而且比普通的绵羊毛更暖和、更轻。轻薄的山羊绒套头衫很透气，整个春天都可以穿。一件打理得好的羊绒衫可以穿一辈子。因此，羊绒衫就是一个完美的例子，证明了最初的投资会在多年后显示出更多的价值。虽然羊绒衫价格各异，也不需要很多钱，但是在我看来，羊绒衫包含了很多含义：奢华、自信。羊绒衫传递出来的这些信息最终会代表着你。

改变你的服装，改变你的生活

The Cashmere Sweater

item_9 两件完美的羊毛开衫

很多人把羊毛开衫当成"毯子",把不够健美的胳膊、肥胖的腹部藏在破旧、硕大的羊毛衫下,从中寻求安全感。羊毛开衫本该非常漂亮,在任何场合都可以穿。我想说的是,要选择品质好的羊毛开衫。你应该拥有搭配西裤或者铅笔裙的各式各样的羊毛衫,如修身的、经典的、修长的、层次很多的,以及宽松、长款的、没有明显结构的。晚上和周末,你可以随意配一条牛仔裤和吊带衫,你可以系一条腰带,任意搭配。虽然我觉得小西服配一条挑逗、浪漫的裙子很好看,一件漂亮的羊毛开衫也会让你很好看。

改变你的服装,改变你的生活

Two Perfect Cardigans

item_10　修身的小西服

如果你非常喜欢羊毛开衫和牛仔夹克衫，那就不会漏掉修身的小西服。小西服是改变服装风格必备的单品。小西服的款式和剪裁能够给你带来意想不到的效果。还有什么衣服能够把周末休闲时穿的 T 恤衫立刻变成开会也能穿的衣服呢？不管是套装里的一件（我推荐套装，因为它能增加你的选择），还是非常合身的单品，好的小西服能够塑造肩线（让你看起来更瘦、更有力）、显腰身（通常都有不错的效果）、把目光吸引到脸部，吸引到你希望的地方（翻领是个好东西），也能够让你在冰冷的办公室和餐厅依旧暖和。

颜色可以根据你的喜好，但是衣服一定要合身。不管是剪裁不对称的还是长款的，前卫的还是经典的，都要跟你的其他衣服相搭配。黑色或者深蓝色的小西服看起来比较高档，如果你已经有一件这种颜色的小西服，你可以选择其他鲜艳的颜色。如果你有小西服，我强烈建议你穿出来，秋天的时候，里面搭配一条飘逸的夏裙、一条紧身裤和一双靴子。

　改变你的服装，改变你的生活

A Fitted Blazer

item_11　一件经典的修身风衣

　　生活在雨水充足地区的女性一定要把这件春天必备品添加到清单里。里面搭配飞钓者穿的皮制大衣，就变成了上街穿的衣服。我并不是说让你穿拉链涤纶或者尼龙上衣，除非你跑到山顶上去。一件轻便、多用的风衣能够同时满足你在细雨天和大风天里的穿着，不管搭配牛仔裤还是宽松直筒连身裙都很好看。我喜欢传统颜色的风衣，如卡其色、深蓝色。樱桃红和鲜绿色可以让沉闷的日子变得鲜亮起来。风衣简单、优雅、永不过时，经常出现在电影场景里。我喜欢风衣那种精致漂亮的效果。

改变你的服装，改变你的生活

A Classic Fitted Trench

item_12　一件秋冬外套

　　如果你生活在寒冷的地方,渴望有一件好看的外套,一定要把它添加到你的清单里。有时的确需要穿蓬松的羽绒服,但你的秋冬外套只有羽绒服的话,你就是自己害自己。即使穿着很有品味的女性,也会经常穿不太好看的外套。这一点我往往不能理解,花了很多钱买了一件设计感很强的漂亮裙子和一双漂亮的鞋子,花了很长时间打理发型和妆容,外面却穿了一件像奶奶们穿的睡衣,这是为什么呢?

　　既然外套决定了你给他人留下的第一印象,那么外套必须非常完美、让人印象深刻。经典就是最简单的完美,我建议选择双排扣、任何场合能穿的、领口有塑造脸型效果的外套,如短外套、长款单排扣外套。特别要注意的是,如果你选择长款外套,一定要非常合身,这样才能显示你的身体轮廓。如果你的外套让你看起来胖了十磅,那你的普拉提也就白做了。

A Great Winter Coat

item_13　一双黑色高跟鞋和一双裸色高跟鞋

　　如果你到现在都没有一双抢眼、舒适、实用、性感的黑色高跟鞋，我不禁想知道你平时都穿什么鞋。黑色高跟鞋或者露跟女鞋就像牛仔裤一样，都是必备的物品，像小黑裙一样能够拯救你，像漂亮、颜色鲜艳的围巾一样，能够提升脸部气色。少了它们，你肯定不得不采取权宜之计，不得不妥协，不得不选择不是那么完美的衣服。

　　在很多时候，一双时尚的黑色高跟鞋能为你的装扮添上和谐的最后一笔。这一笔可以毫不费力地拉长你的双腿，增加一点高度（增加身高总是非常受人欢迎）、仪态和女人味。别告诉我，你用其他鞋子搭配了铅笔裙。裸色高跟鞋也有同样的效果。裸色高跟鞋与肤色完美协调在一起，能尽可能地拉长身高。如果裸色高跟鞋是你衣橱的新成员，那你就做好准备迷恋上它吧。我喜欢颜色鲜艳的个性高跟鞋，能搭配性感衣服的鞋子不多，但时尚的裸色高跟鞋总是不错的选择。

　　　　　改变你的服装，改变你的生活

One Black Pump, One Nude Heel

item_14　平底芭蕾鞋

如果你正穿着一双奇丑无比的、破旧矫正型的鞋子，那你必须开始鞋子大改造。选择一双优雅的平底芭蕾鞋吧，刚开始可以选择黑色、裸色、银色或者金色。我敢肯定，一旦你做出了这个改变，你肯定渴望多买几双漂亮实用的平底鞋，不管是平底凉鞋、乐福鞋、驾车鞋、莫卡辛软帮鞋，还是牛津鞋。不要害怕尝试不同颜色、不同图案的鞋子。在你升级改造自己的衣橱时，根据自己所处的状态，采取合适的行动。棕色的鞋子非常实用，但是如果你的鞋柜里是一片土色的海洋，你要明白世界上还有比这个色调更有生机的颜色！对待鞋子要像对待首饰一样，应该让它有趣、俏皮、引人注意。

改变你的服装，改变你的生活

The Ballerina Flat

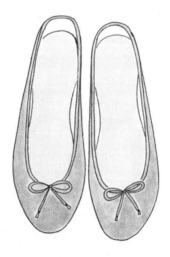

item_15　时尚的运动鞋

　　要严肃认真地对待运动鞋，别再把你那双破旧的健身平底鞋当成周末穿的鞋子。如果你非常喜欢穿运动鞋，那你要买一双可爱、鲜艳、时尚非运动型的运动鞋。在运动鞋的问题上，我不反对你跟随时尚潮流，运动鞋一直在变，所以看看当今流行什么，找一双适合你的鞋子。如今运动鞋的选择很多，没有理由穿得像《上班女郎》里面的梅拉尼·格里菲思。就像升级 T 恤衫一样，这一改变能够给你的日常穿着带来立竿见影的神奇效果，能够将你那些乱七八糟的牛仔裤变成可爱、时尚、能在逛博物馆时穿的衣服。那些破旧的运动鞋可以捐给运动鞋回收慈善组织，或者搬家的时候才穿。

　　　　　　　　　改变你的服装，改变你的生活

The City Slicker Sneaker

item_16　一件宽大的黑色披肩

黑色大披肩能帮助你应对无法预见的情况。有什么衣服能比柔软、宽大，却成比例的黑色披肩更加完美吗？它能够御寒，同时还漂亮、舒适。衣橱里有一件宽大的披肩意味着不需要投资昂贵却通常只穿一次的正式宴会礼服，一件小黑裙（或者其他漂亮的衣服）配一条大披肩，你就可以出门了。在办公室的空调房里，大披肩也能御寒。在飞机上，大披肩就成了很棒的大毯子。有了黑色大披肩你立刻就能变得非常有魅力。（如果你负担得起，就买羊毛的。）

改变你的服装，改变你的生活

The Giant Black Wrap

item_17　各式各样颜色鲜艳的围巾

　　我非常喜欢各式各样颜色鲜艳的围巾。仔细想想，围巾是我最喜欢的配饰，也是最容易脱下来的。围巾通常不受重视。首先，我喜欢围巾能够加强女性特征。最适合你的颜色，长长的一块，就围在脸旁边。（我们这里不是在说妈妈做的讲究的丝巾，它有它该在的位置……）我喜欢围巾能够制造出不同的感觉，能给平淡的衣服增加一点趣味。我喜欢围巾是因为它能够调节温度，在寒风里或者春寒料峭的时候让我们感觉很温暖。围巾很实惠，而且用途很多。因此，围巾是我必须买的第一件饰品。同时，它是冲动时最好的选择，也是极便宜的饰品。

　　　改变你的服装，改变你的生活

A Variety of Colorful Scarves

item_18 个性的耳环、手镯和项链

我在整本书中都会提到，首饰是一件秘密武器，能够让简单朴素的衣服变得有气场、精致，让人印象深刻——不管这些衣服是乏味、单调的裙子，还是你最喜欢的牛仔裤和 T 恤衫。个性在这里意味着什么？意味着抢眼和出众。而不是像精致的项链和手镯那样，我们记住了它们的情感价值。想想护腕和大量的手镯；巨大的、鲜艳的珠串项链；多层项链，而不是单串精美的项链；有趣的、超大的鸡尾酒戒指。不要想着把首饰留到特殊场合，富有个性的首饰能够将沉闷的周末休闲服装变成漂亮的装扮。首饰给你的最大好处是什么？收集有个性的首饰很有趣，而且非常便宜。

改变你的服装，改变你的生活

The Statement Earring, Bracelet and Necklace

item_19　小型到中型的金色或者银色环形耳环

不是所有的衣服都适合戴有个性的耳环，有些衣服只需要一点点金属的光泽。因此，基本款的金色或者银色环形耳环就是一个完美的解决方法。环形耳环比耳钉更能吸引眼球，但是它所代表的风格是中性的。环形耳环是首饰中的小黑裙。有时，一对简单的环形耳环可能都有点太过了。当我们非常讲究外貌，或者希望发型和妆容更加有趣时，就需要一点首饰，用精致的手镯来装点我们的服装。

　　　　改变你的服装，改变你的生活

A Small to Medium Gold or Silver Hoop

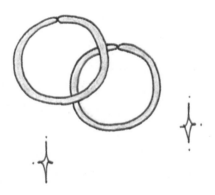

item_20　中性风格的手提包

　　有些女性喜欢钱包，有些女性则不然，她们喜欢将物品放在肮脏、破旧的手提包里。她们认为手提包只是一个放东西的包而已，对吧？其实不然，如果你没有合适的、成熟的手提包，无论是黑色、灰色、棕色、褐色，那就把它列入清单里。如果你认为手提包只是手里拿的一个物品，而不能像穿在身上的其他物品一样吸引注意力，那就错了。其实所有东西都是你创造的整体形象的一部分。不搭的、邋遢的包和不合适的外套有同样的效果，都会破坏你费尽心思制造的印象。因此，一定要明智地选择手提包，尤其是当你每天都用同一个包的时候。中性色的包与所有衣服的颜色都相搭配。

　　　　　改变你的服装，改变你的生活

A Neutral Handbag

至于需不需要买很贵的包是一件值得思考的事。理想的状态是，你投资一款能够经得住时间考验的、质量上乘的包。钱包也有可能非常贵。我知道并不是所有女性都追求名牌包。如果你不打算花太多钱，那就保持包的清洁，这样包就会看起来更高档。我喜欢经典款的包：凯莉包、手袋、水桶包、保龄球包、手拿晚宴包，晚宴包也适合白天用。

改变你的服装，改变你的生活

A Neutral Handbag

item_21　一副好看的太阳镜

　　一副糟糕的太阳镜和一套糟糕的衣服一样，能毁掉一套不错的装扮，可悲的是这种现象还非常普遍。如果你的太阳镜在上次旅行中弄丢了，随后你在当地药妆店随便买了一副荧光镜充当太阳镜，这不可行！我们身上所穿戴的物品，只要有一样跟其他衣服不搭配都会制造混乱，从而转移注意力。太阳镜是一个非常小的细节，却非常重要，因为太阳镜戴在我们的脸上。

　　好看的太阳镜不一定很贵。但是我认为，任何在你脸周围的物品都被他人仔细查看着，因此值得我们投资。不管价格是否昂贵，一定要多试戴，然后找到一副适合你脸型的太阳镜。

A Great Pair of Sunglasses

item_22 两件以上高质量的文胸

如果你从来没有找到特别合身的文胸，赶紧去文胸专卖店逛一逛，每一个城市至少有一家文胸专卖店。许多女性所穿的文胸的尺寸都不正确，这会带来很多问题，包括胸部下垂、肩带勒出来的痕迹，以及背部赘肉。找到一件合身的文胸会给你带来很大的改变。尺寸合适的文胸会立刻让你看起来瘦十磅，大大地改变你的身形以及衣服穿在身上的效果。

如果你衣橱里有一件因没有合适的内衣而不再穿的衬衣和裙子，拿到文胸专卖店去，他们应该可以帮你找适合这种特别款式的衣服的文胸或者背心。你还可以在文胸专卖店找到其他内衣。是不是一件塑身衣就可以拯救一条修身的裹裙？你的内衣抽屉是不是乱七八糟？记住，好的穿衣风格从内衣开始，因此，忽视内衣的想法实在不可取。

Two or More Quality Bras

混合搭配

–

这个购物清单里的22样物品非常有用，这些构成了衣橱的基础，你可以用这些衣服形成自己特有的穿衣风格。为了证明这一点，我总结了一些我最喜欢的混搭方法，从而教你尽可能使用这些衣服。想了解如何搭配这些基本款衣服，那就看看我的Pinterest（品趣志），我经常更新在网上找到的好看实用的搭配范例。

6个穿好牛仔裤的方法

–

跟黑色和中性色一样，牛仔裤是非常可靠的基本款衣服，我们经常下意识地选择穿牛仔裤。我们认为牛仔裤非常中性，也很少考虑什么时候穿以及如何穿，这样的想法不会给我们带来好的结果。但是只要有点想象力，牛仔裤就能创造很好的效果。在人们赞美这一美国的伟大发明时，6个方法可以帮助你穿好牛仔裤（其实我可以有很多穿好牛仔裤的方法）：

1. 搭配一件昂贵的或者看起来高档的夹克衫，比如结子花式夹克（浓郁的香奈儿风）或者深蓝色小西服，外加修身的吊带衫或者T恤衫，以及很多项链、手链和珍珠。

2. 搭配一件女人味十足的丝质衬衣、尺寸较大的个性耳环和一双高跟鞋。

3. 搭配一件好看的羊毛衫和一条个性的项链。

改变你的服装，改变你的生活

4. 搭配一件晚礼服，金光闪闪的或者丝质露背装、耳坠和一双高跟鞋。

5. 搭配一件无尾礼服、丝质吊带和一双个性的高跟鞋。（这样最好配黑色或者深蓝色牛仔裤。）

6. 春天和夏天时，搭配一件有个性图案的上衣和一双细跟的凉鞋。

6个职场着装的方法

—

至于职场着装，即使穿衣风格较好的女性也可能穿得千篇一律，这一点也不奇怪。在追求个性和职场风格之间找平衡，对于天生就时尚的人来说，也是一个不小的挑战。

但是，衣橱里面装满了经典款的衣服的你就很难出错。你只需要在那些值得依靠的衣服上一层一层地搭配配饰、鞋子和上衣。适合职场的漂亮经典款衣服可以让你任意搭配，也不用担心出错。

职场上穿着靓丽的重要性毋庸再说。职场也是人们首先想到要提升穿衣品位的场合，原因是职场上的自我展示代表着你的影响力、薪资以及成功与否。（如果你不相信，去问问那些帮助政客们选择领带颜色的服装达人。）

如果人们能够注意到你，那么你在职场上的影响力就比较大。因此，选择那些让你消失在背景中的办公制服永远对你没有好处。你为自己做的最好的事就是穿得引人注意，方法如下：

1. 选择颜色鲜艳的衣服是增加职场着装的趣味的最简单方法。不要害怕在办公室穿颜色鲜艳的衣服，鲜艳的颜色能够掌控人们的注意力、显示权力，因此在办公室穿鲜艳的颜色毫不过分。

2. 选择女人味十足、引人注意的套装。套装不一定很沉闷，比如开叉铅笔裙和领口较大并有褶饰的夹克衫。细节非常重要。

3. 穿戴一些颜色鲜艳、有图案的打底衫和个性首饰，让套装富有你的风格。想让结构分明的套装更加柔和些，那就选择精致、有女人味的面料，如丝绸、蕾丝、半透明雪纺的衬衣和吊带衫。

4. 选择一双性感、适合在办公室穿着的鞋子。很潮的高跟鞋可以瞬间让套装从平淡变得有力、有女人味。

5. 配饰，配饰，配饰！如果不想让同事认为你的工作服装过于沉闷乏味，那就增加一点个性的饰品和鞋子来表现你的睿智和个人风格，这些物品不昂贵。

6. 不要害怕鲜艳的日用唇膏。虽然性感的黑色眼妆适合晚上的活动，但是颜色鲜艳的唇膏白天也可以使用，能够给中性、黑色和平淡的套装增加一点魅力。

6个八小时之外的着装方法

—

如果你听到"八小时之外"这个词就不情愿地翻白眼，我不会责怪你。这个词汇被人们滥用，从而给我们很多想象，让我们觉得是不是所有人下班后都改变装束。这就是为什么你需要再次调整穿衣风格。你应该有工作之后的计划，不管是参加鸡尾酒派对还是和朋友们吃饭。换合适的衣服意味着你应该充分享受太阳下山后的那段时光。（这段时光跟白天同样重要！）更换衣服也能消除信息混乱。上班时，你不用穿得像参加社交活动一样，同样，参加社交活动时你也不用穿得像刚下班一样。我经常说，如果只为我们能预见的机遇穿衣打扮的话，我们就失去了那些没有预见到的机遇。因此，有6个简单的方法能让你的服装顺利地从白天过渡到晚上：

1. 烟熏妆、深色唇膏和假睫毛能够增加吸引力。

2. 戴一两件张扬个性的首饰，增加时尚感和吸引力。

3. 脱掉平底鞋，换上前卫的高跟鞋，比如，有带子的、金属的、有铆钉的和鲜艳的。

4. 换掉白天基本款的包，背上亮晶晶的包。

5. 梳高高的马尾辫，或者蓬松凌乱的低花苞头。

6. 适当暴露。白天在丝质露背上衣的外面套一件小西服或者羊毛开衫，晚上就脱掉。

5 个穿好紧身裤的方法

一

我不认为紧身裤只适合有模特身材的人穿。我认为紧身裤的问题不在于穿它们的女性，而是穿它们的方式。通常人们把紧身裤穿得跟最糟糕的运动裤一样，好像它们是废品，它们让人们毫无自信。如果你也这样穿紧身裤，那么我更愿意看你穿运动服。这 5 个方法能够把紧身裤穿得比较好看：（要注意，紧身裤要完全不透明，而且上衣要到臀部以下的位置。）

1. 旅行时，紧身裤可以穿得比较随意，搭配一件超大的羊毛衫和一双漂亮的平底鞋。

2. 搭配一件长款的丝质上衣、一双前卫的带跟短靴。

3. 晚上活动时，搭配一件长款修身小西服或者开叉夹克衫、性感的打底衫，个性的耳环和一双系带高跟鞋。

4. 搭配一件休闲、超大夹克衫和一件棉质束腰外衣，去健身房或者去上瑜伽课也完全没问题。

5. 白天外出可以搭配羊毛衫、平底靴子，手镯和一串长项链。

改变你的服装，改变你的生活

5个塑造腰部线条的方法

—

虽然我已经讲过塑造腰部线条的重要性以及好处，尤其是对曲线优美的女性，请允许我再次强调，乔治的时尚世界里不存在夏威夷妇女装！塑造腰会让你看起来更加苗条。怎样才能塑造腰线？有的衣服本身就结构分明，自然有收腰效果。但是飘逸的衣服就需要一些小技巧让它能够收腰。

1. 系腰带。当你犹豫某种打扮是否好看时，你可以系一条腰带，腰带更能够将衣服收拢起来。你可以在裙子、宽松衬衣和羊毛开衫外系一条个性的宽腰带。许多女性畏惧腰带，因为她们不知道如何使用腰带，而且害怕腰带会让整套衣服显得很繁乱。然而，腰带能够将不是很满意的装扮变得更好，这也是提升装扮的最简单的方法。又大又厚的腰带有束腹效果，细窄的腰带可以收腰，同时可以充当精美的饰品。

2. 塑造腰部线条最简单的方法是将衬衣塞进裤子里，尤其是A字衬衣。A字衬衣的设计，本身就在腰部处收紧然后在下面展开，将衬衣塞进裤子里可以收腰，会让你看起来更精致、线条更清晰。飘逸的衬衣制造出三角形效果，这种从头到脚的三角形效果无法凸显身材的特点，将衬衣塞到裤子里常常会让人看起来更加干练。

3. 选择束腰、有褶饰的衣服，选择比较修身的上衣和裙子。这些衣服本身就能够收腰，不需要额外塑造腰线。

4. 塑身衣也能够塑造你的腰部线条。我的很多客户（都是演员）离不开塑身衣。没有这个塑造身形的秘密小武器，她们走红地毯时就不能吸引那么多目光。

5. 想要腰部看起来比较瘦，那就选择深色、修身的吊带衫，搭配一件浅色或者鲜艳的小西服或者开衫。或者选择鲜艳的打底衫，在深色夹克衫或者开衫外系一条腰带。

周末怎样穿

—

每个人穿上晚礼服和高跟鞋都非常漂亮。但是我认为，女性面临的穿衣挑战是没有社交活动时如何穿衣打扮，以及如何穿牛仔裤和 T 恤衫。我的客户遇到的最大问题之一就是周末如何打扮。穿得休闲、随意比起穿得正式、职业更不容易，这有些奇怪。如果你想在一个高端活动上光彩照人，那就去买一件好看的衣服，非常简单。但是怎样才能穿一条牛仔裤也参加高端活动呢？问题又回到我在这本书中反复提到的那个原则。你必须知道最适合自己的颜色（我将在下一章讲到这个问题），知道哪种剪裁最适合你的身形，并且要注意整体风格。

虽然我使用的是"周末"这个词，我知道，当今的科技和不断变化的职场文化已经将这个词变成了模糊的概念。不管我们在手机上发邮件，还是工作安排永远光鲜、随意的自由职业者，抑或是为没有加班报酬的工作没日没夜地干活儿，对我们大多数人来说，周末不再是一个严格划定的时间段。如果你的工作安排也是如此，那你应该重新解读这个词。"周末"就是你不需要担心形象的时间，或者比较低调的时间。也许你已经猜到了，我完全不同意这个说法。不管你怎么理解这个词，我坚定地认为，周末也需要看起来很美丽。

的确，不同的人对"美"有不同的解释，但是我认为，我们都同意，一双亮晶晶的紫色木底鞋搭配丈夫的防风夹克衫和一件褪色的长袖 T 恤衫肯定不美。更何况那件褪色的长袖 T 恤衫的面料还不是弹力布。那条怀孕时穿的旧牛仔裤也不美，这条牛仔裤不比那条松紧裤好看到哪里去。（是的，我知道你所有这些羞耻的小秘密。）

周末穿衣风格的准则

—

周末，人们通常也会观察我们的衣服以及我们塑造的形象，这一规则没有睡大觉。我们还没来得及开口，我们的衣服就为我们代言。人们还是会注意到我们，还是会做出快速判断，我们的心情还是会像工作日那样严重受到影响。

在你指责我剥夺你允许自己邋遢的珍贵时间之前，我要告诉你，我为客户准备的周末服装不会让客户觉得不舒服，我穿着在城里闲逛的衣服也没有不舒服。舒适和随意并不意味着没有魅力或者乱七八糟，舒适和随意的衣服也能像其他那些比较干练的衣服一样优雅。由于很多人对"既干练又休闲"这个概念感到非常疑惑，所以我总结了一些比较好的周末穿衣方法。

不要害怕购买周末休闲的衣服。很多人为购买周末休闲衣服感到罪恶，觉得周末休闲衣服不值得花钱。除非这些衣服在其他场合也可以穿，否则钱花得不值得。周末休闲衣服真的那么难以解决吗？我猜测，你把钱花在高质量的食品、娱乐、旅行以及其他周末"奢侈品"上时，你不会觉得不值得。

对于衣服这种能够直接接触皮肤的东西，为什么采取不同的标准呢？

不要把好东西留到特殊场合。生活不是一连串特殊场合，生活是日复一日的日常事务。不要把好看的牛仔裤留到晚上活动的时候，周末也可以穿性感的牛仔裤和漂亮的羊毛套衫，以及非常合身的外套。那些特殊场合穿的、让你非常自信的衣服，在其他日常场合也穿。如果衣服有点正式，你可以用很多方法让衣服不那么正式。这一章介绍了一些方法，这本书里还有其他方法。

早午餐可以穿职业装。在这一点上，我跟大多数人的观念不同。你上班穿的所有衣服，可以在周末穿，也可以在玩耍时穿。我想让你充分利用衣橱里那些质量上乘的衣服。这就是你从自己的投资中获益的方法，也能让你非常好看。记住，高调和低调、女人味和刚毅并列存在，比如牛仔裤可以搭配一件小西服，也可以搭配学院风宽松运动衫。

和富有个性的首饰、漂亮的大块围巾成为朋友。围巾在我的服饰清单上占有重要位置是有一定原因的。如果搭配了一块能够提亮肤色的围巾，牛仔裤和白 T 恤衫这些世界上最乏味的服装也会变得很有吸引力，随性的衣服搭配个性的首饰也有同样的效果，这样就能防止随性的衣服看起来邋遢。周末也不要忽略你的配饰，而且你需要在配饰上下功夫。

购买一些休闲的外套和鞋子。非常合身的牛仔夹克和风衣在上班时和玩耍时都可以穿，这就是精致干练的周末休闲衣服和丈夫的百威防风衣之间的区别。如果你用一堆破布掩盖了那条性感的牛仔裤，没人会注意到牛仔裤！同样的道理也适用于鞋子。你需要许多漂亮的平底鞋，在任何场合都可以穿，比如芭蕾舞鞋、乐福鞋、驾车鞋、平底靴子、坡跟鞋、漂亮的运动鞋（是的，所有运动鞋都要好看）等等。

Chapter 4

色彩的力量——寻找适合你的颜色

世界上
最好的颜色就是适合你的
那个颜色。
—— 可可·香奈儿

跟我的客户一样，你将经历巨大的转变，而且只要一个简单的改变就可以实现这种巨大的转变：调整衣服的颜色。

了解适合你的颜色，以及了解适合你肤色、瞳孔颜色、头发颜色的色调，这一理念近几年来不再流行，有点特百惠派对和邮购目录没落的味道。不要再联想那些按照数字涂颜色的游戏，我们要重新找回色卡，并且要经常使用。百分之七十的错误装扮可以通过改变颜色来拯救，我并没有夸大其词。

为什么？这要回到和谐的观点。穿到身上的所有衣服都不应该脱离你塑造的整个画面，这个画面包括头发的颜色、瞳孔的颜色和肤色。想一想，你会戴一顶明黄色的帽子而不考虑是否与其他衣服颜色冲突吗？其实，那顶帽子就是你的头发。头发是一顶你每天都要戴的帽子，身上其他部位的与生俱来的颜色也是一样的道理。

忽略自己身上天生的颜色会让你一辈子为颜色混乱而烦恼，穿所有的衣服都会让你的肤色看起来很苍白，而且会让你觉得所有衣服都不好看。我想给大家的，不仅仅是避免颜色混乱，而且要知道哪些颜色适合你的自然肤色（在另一章节会讲到），让你拥有健康的肤色（而且让你睡个美美的觉），同时呼应你那双漂亮的眼睛。

永远不要低估色彩的力量，色彩不仅影响你的穿衣搭配，而且还是一个改变你的心情和形象的工具。

我的色彩哲学

—

　　我特别喜欢色彩。心情低落时，我会采取与大多数人相反的方法。我不会屈服于心情，不会用沉闷、深暗的颜色隐藏自己，我会选择衣橱里最显眼、最明媚的色调。效果如何呢？心情立刻好起来，比喝一杯小麦草饮料管用很多！

　　我喜欢自己衣橱里衣服的颜色，因为它能完全改变我的观点，它也能感染我周边的人。我喜欢色彩，因为我喜欢被人注意到（不用为此感到震惊），我喜欢它能够发散出高调而且大胆的信息。

　　在时尚的世界里，色彩是非常有用的工具，却经常被低估。如果运用得正确，色彩能散发出积极、平静、胜任感、幽默、吸引力（好的那种）和性感。如果我所说的听起来有点崇拜的味道，那我也不在乎。我是色彩狂热者，我也不害怕说出来让大家知道！

　　色彩的力量很大，它可以改变一切。我们雇佣室内设计师设计房间的色彩，从而改善我们的心情，因此，为什么不花同样的精力来管理色彩对于服装的影响？衣服是我们的第二层皮肤，与我们每天作伴。

　　暂且不提色彩能够调节情绪，我的色彩哲学总结为一个简单的公式，它反映了我处理服装的总体方法：我希望你能被大家注意到。如果你所选的颜色正确的话，人们会注意到你这个人，而不是注意到衣服。我们没有必要知道其中的原因。

　　与众所周知不同的是，人们注意到我们，不一定是衣服颜色鲜艳的结果（虽然我真的非常喜欢摆弄色彩）。我经常发现，很多客户只穿深色和柔和的颜色，没有经过思考而选择那些颜色会让人联想到乏味和压抑。有时候，我让客户使用浅色系，如奶白色、灰色、白色和驼色，这些颜色能够让她们明亮起来，从而让她们更具吸引力。色彩就是如此有趣。

总体来说，我通常让客户接受很多不同色调。更广泛的色调传达出更多的信息。不管是肤色浅黑的女性，还是皮肤苍白、红色头发的女性，每个人都应该熟悉许多适合自己的颜色，包括浅色、中性色、柔和愉悦色，以及非常鲜艳、张扬大胆的颜色。我想说的是，要找到适合自己的特定色调。

这章能够帮助你找到让你满意的颜色。你可能会为你所找到的颜色感到吃惊。让我吃惊的是，很多女性都确信自己已经找到最合适的颜色，结果却完全错误。金发碧眼的女性有着一衣柜深色的衣服，我说的就是你！

我们总是希望色彩能够帮我们提升穿衣品位。衣服颜色是否能够突出头发的颜色？是否让你看起来皮肤黝黑？是否让你苍白的样子看起来更健康漂亮，而不是更柔弱？是否凸显瞳孔的颜色（凸显瞳孔的颜色是我最喜欢做的事之一）？你能做的最大改变之一就是注意自己衣服的颜色，而且保证衣服的颜色适合你。

真正适合你的颜色

—

怎样才能确定哪种颜色适合我的客户？我首先观察头发的颜色，因为头发通常是一个人身上最显眼、最饱和的颜色，也是一个最明显的着手点。比起肤色，头发颜色更加明显。从生到死，头发有大约150万根，而且头发的颜色根据季节变化而变化。然而，肤色更难把握，如果不把某个颜色放在脸边比对，你无法知道那个颜色是否合适。因此在这章里，我会按照头发颜色分析，给你一个类别的颜色，让你判断自己的颜色。不管你的发色是蜜色、鱼子酱色、古铜色、还是银色，你都要尝试一个类别的颜色，看看哪种颜色最适合你。

如果你打算染头发，是根据头发天生的颜色染，还是根据你所选的色调染？这是非常复杂的问题。因为头发离脸最近，而且面积非常大。不管是天生的还是染的，头发的颜色非常重要。如果你的头发呈现金黄色，但瞳孔是黑色，皮肤接近橄榄色，那你最好把这几种颜色都尝试尝试，看看哪种颜色最适合你。

除了头发的颜色，另一个需要注意的颜色就是瞳孔的颜色。我们总想把人们的注意力吸引到我们的眼睛这个心灵的窗户上。瞳孔的颜色是第二种天生的色调，让我们全身的色调变得生动。眼睛会说话，我们越突出眼睛，它们所表达的信息就越容易被人"听"到。

如果他人的关注让你不知所措，你要明白，人们关注你的眼睛会给你带来很多好处。只要留心自己身上的颜色，想想某种颜色是否适合你，你就已经开始改变了。随着你逐渐认识不同的颜色，你很快就能学会把衬衣拿到脸边，迅速决定是否适合你。

如果某种颜色适合你，你肯定会立刻觉察出来。最好的颜色让你看起来更健康、更有活力，而且更活泼，也会让你的双眼神采奕奕。不适合的颜色让我们显得精疲力竭，让我们看起来脸色苍白而且更疲惫。有一个经验法则，如果一件衬衣合身，但是你穿着并不好看，那有可能是颜色不对造成的。

头发的颜色对你全身的色调意味着什么？要知道，颜色这个问题非常复杂，每个人遇到的颜色问题千差万别。适合肤色浅黑的人的不一定适合其他人，夏天适合你的颜色在深冬不一定适合你。颜色会变，肤色也会变。适合你的颜色类别也不是固定的，因此，把这些颜色当成你的指南，培养自己的直觉，找到最适合你的颜色。如果你犹豫不定，那就让你的时尚小伙伴参谋参谋，多一种观点总是很好的。

根据头发色系不同，做如下分类。

蜜色系（温暖阳光的金黄色头发女性）

—

虽然我们都认为黑色是一种非常完美的颜色，是每个人必备的颜色，但是对于金色和红色头发的人来说，黑色不完全合适。这就是为什么每次遇到头发金黄的客户，我做的第一件事就是讨论她衣橱里那些黑色衣服。别误解，金色和红色头发的人穿黑色衣服不一定不好看，而且有些时候、有些场合需要黑色衣服。当你需要穿黑色衣服时，你可以试试深蓝色的衣服。别告诉我黑色和深蓝色没有任何差别。（我是认真的。如果你认为没有差别，发邮件或者推特我，我很乐意接受这个挑战！）

对于头发金黄的人来说，深蓝色是更适合她们的中性深色。深蓝色跟黑色有同样的效果，但是却不是黑色，颜色稍浅，带有一点点暖色。暖色非常重要，对金色头发的人来说是一件好事。黑色会让头发金黄的人看起来更加苍白。头发金黄的人穿深蓝色的形象非常经典，而且很时尚。在我看来，深蓝色的衣服看上去总显得很高档。如果头发金黄的人碰巧有一双蓝色或者绿色的瞳孔就更好了，因为深蓝色能够凸显眼睛，同时让肤色呈现出暖色调。

接下来我要讲驼色。我很喜欢头发金黄的人穿驼色衣服。你可能认为驼色、浅褐色和灰褐色是不起眼的中性色，但是这些颜色穿在头发金黄的人身上则不然。头发金黄的人穿驼色衣服的效果就跟肤色浅黑的人戴首饰的效果一样，具有很强的震撼力。驼色衣服能够凸显头发的颜色，同时制造出和谐的画面，而你就是这幅画面的中心。颜色的核心是其含义是什么以及是否和谐。浅褐色本身代表着安静，但是穿在头发金黄的人身上，这种安静能够吸引注意力。

为什么呢？对于头发金黄的人来说，尤其是肤色比较白的话，衣服的颜色不会压制他们天生的那种柔和、浅淡的色调。要注意，不要让衣服驾驭你，因此，那些夸张的几何图案的衣服可能不适合你。因为你的发色和肤色的差别天生比较小，大量的图案会制造不平衡，从而导致你的其他特征都暗淡了下去。（然而，深色头发、肤色浅黑、睫毛和眉毛分明的人是一个强烈对比的例子。因此，当她们穿图案夸张的衣服时，她们发色和肤色的对比与衣服颜色的对比就抵消了。）这一点非常微妙，我经常看到金发女性在这方面犯错误。夸张的图案在你身上不一定不好，却传达出太多的信息，这些信息有时会损害你的形象，但在肤色黑的人身上则不会这样。

头发金黄、皮肤白皙的人，特别是瞳孔是蓝色或者绿色的人，她们穿蓝色和绿色的衣服非常好看，我很喜欢。只要突出瞳孔的颜色，你会非常漂亮。更神奇的是，脸旁一抹天蓝色似乎能够改变瞳孔的颜色，让瞳孔的颜色更加强烈、更加生动。

渐渐地，你会发现适合你的颜色不只是中性色和粉彩色，那些鲜艳的颜色、可爱的桃红色以及大地色也适合你。

鱼子酱色系（肤色浅黑的女性）

一

不管你的肤色是浅是深，较深的头发颜色都发出很强的信号。这就是为什么你适合那些强烈、大胆的颜色，那些颜色才能在色调超级饱和的头发对比下引人注意。如果说有人不用畏惧色彩的话，那就是你。深色的头发让你能够承受鲜艳的颜色，你可以承受其他女性无法承受的、吸引眼球的颜色，这些颜色在你身上非常和谐，在金发女性身上就有点突兀和严肃。

然而，那些适合金发女性的颜色，如浅褐色，在你身上就显得有点浅淡。如果你的肤色不是特别黑，浅褐色的衣服就会和你的肤色融为一体，仿佛没有穿衣服一样。这种颜色也被头发和眉毛的颜色压制住。对这类女性来说，灰色或者黑色是很好的中性色，纯白色对你来说也是很好的中性色。这些颜色能够与你的肤色形成对比，凸显深色的头发，让你的特征更加明显。我非常喜欢看肤色浅黑的人穿白色和黑色的衣服，这种打扮看起来很流行、干净、精致。这样的搭配制造出一种反差，让头发和其他特征显现出来。

虽然很多颜色都适合肤色浅黑的人，但是一定要谨慎使用粉彩。饱和的金黄色更适合你深色的头发，夸张大胆的颜色和图案也适合你，你可以肆无忌惮地穿。

说到颜色，非裔美国女性以及拉美裔女性估计是世界上最幸运的女性，她们的肤色适合任何一种颜色，她们的肤色能够调和各种颜色。当你的肤色可以跟任何颜色相搭配，色彩越饱和，你就越有更多的空间。色彩等同于存在感。这就意味着你可以穿任何颜色的衣服，甚至可以尝试霓虹色的衣服。你穿金黄色的衣服很好看，穿粉彩的衣服也非常漂亮，但是较浅的黑肤色的女性就不适合粉彩。你也可以穿浅褐色、驼色和卡其色的衣服，这些颜色不适合较浅的黑肤色的女性。

古铜色系（栗色或者红色头发的女性）

—

许多人也许已经知道，红头发的人对待色彩要格外谨慎。跟金发女性和浅黑肤色的女性不同，她们头发的颜色不是中性色，这一点一定要考虑到。如果红头发的女性知道哪种颜色适合自己，就知道如何制造最独特的效果。红头发的女性穿着颜色适合的衣服总是惹人注意。

跟金发女性一样，肤色奶白的红头发女性要做的第一件事就是扔掉衣橱里那些黑色衣服，换成深蓝色衣服，要让你自己的肤色呈暖色调。蓝色和红色几乎互补，这就是为什么红色头发配蓝色衣服比较好看。

以巧克力色为主，红头发的女性适合大地色和鲜艳颜色的混合色，如珊瑚色、橙红色和蓝绿色。跟金发女性一样，红头发的女性穿驼色的衣服非常好看，穿奶白色的比纯白色的更好看。但是，红头发的女性不适合粉彩，因为头发的颜色会压制较浅的颜色，如果她们的发色呈现出奶白色或者驼色这样的中性色则可以。

为什么红头发的人穿绿色衣服非常漂亮？因为绿色和红色是互补色，这两种颜色处在色卡的两端，放在一起就形成了强烈的对比。如果你想被人注意到，那就穿绿色的衣服（尤其是你瞳孔的颜色也是绿色的话），或者穿红色系的衣服，把整个城市都染成红色。如果颜色合适的话，红色或者红色头发很有震撼力。

适合红头发女性的颜色也同样适合栗色或者金棕色头发的浅黑肤色的女性，能够将红色的暗色部分发挥到极致。

银色系（灰金色以及白金色头发的女性）

一

我喜欢银色头发（打理得非常完美的那种）女性的自信，我更喜欢她们知道由于自己的发色要更加注重颜色的协调。

最适合银色头发女性的颜色是亚光系，有点淡灰色的颜色。颜色对于银色头发的女性非常重要，衣服的材质和剪裁也非常重要。所有的颜色必须柔和，才能搭配暗淡的头发，如石蓝色、灰色、银色、海泡石绿、淡紫色、灰褐色等等（红色是个例外，因为红色非常纯净，搭配灰色非常好看）。要注意黑色，可以选择深蓝色。跟金色头发和红色头发的女性一样，黑色会压制你，显得你非常暗淡。然而，你可以选择白色，银色的头发配纯白的衬衣非常好看。

当我们到了五十岁、六十岁的年纪，有些女性倾向于经典、特定颜色的衣服，比如深色的裤装制服和白色衬衣。我能理解其中的原因。这些人只选择经典款，而且更加注重质量和款式。这些衣服也很有震撼力，但是我还是支持鲜艳的颜色，因为鲜艳的颜色不仅让衣服成为经典，而且容易让人记住。如果你进入了新的生活阶段，准备减少些色彩，那就在适当的位置增加配饰，亮红色的袖口、绿松石花边的眼镜或者一双橘黄色的平底鞋都可以增加愉悦、快活的因素。

灰金色以及白金色头发的女性要注意，将你划分到这个类别，你也许会感到非常吃惊。跟金发女性的那种金黄色不同，真正的白金没有颜色，大多数时候被认为是白色。如果真的含有一点点黄色，夹杂在头发里，也被认为是白色。白金色或者灰金色发色的人应该看看金色的色卡，有时会有重合。

使用鲜艳的颜色

—

如果你想给自己的衣服增加一点颜色，你不用裹着霓虹色的衣服，有策略地使用颜色的效果非常好。请允许我介绍"使用鲜艳的颜色"这一著名方法。作为造型师，这是我的一大秘诀，而且我也被称作"色彩之父"。

在中性色和深色的外套上增加一抹鲜亮的颜色，鲜艳的颜色是张扬、时尚的尝试。我们要有意识地运用成熟、老练的方式使用鲜亮的颜色。比如石灰色的衬衣上系了一条紫红色的围巾，或者是黑色裙子配了鲜红色鞋子和手镯。你吸引了注意力，同时还光彩照人。使用鲜艳的颜色就是用一种单一的方法，让鲜艳的颜色在暗淡的背景里更加突出。想一想男装，衣冠楚楚的绅士们可能穿了深色的西服，但是会选择鲜艳的领带、装饰手帕或者袜子。他们有意用这种克制而微妙的方式使用颜色，表达了"我不需要你的注意，但是我却抓住了你的注意力，难道不是吗"。这种装扮传达出一种谨慎、一丝斟酌，而不是简单地穿上一件绿松石色的衬衣，你还考虑过细节。

这是通过对比反差的搭配方式吸引人们的目光。比起那些大胆、张扬、活泼的方式，这种方式更加细致和复杂。对那些畏惧色彩的人来说，这是一个很好的起点。刚开始可以选择鲜艳的上衣、鞋子和配饰，当你习惯这些东西后，慢慢地增加彩色的裤子、裙子和外套。

对大多数人来说，使用鲜艳的颜色是将颜色运用到衣服上的一个比较实惠的方法，尤其是当你准备投资一系列上一章中列出来的、剪裁良好的基本款服装时。如果你的衣橱里全都是可以混搭的深色和中性色衣服，你可以用其他物品增加一些不太常用的鲜艳色彩，比如衬衣、围巾、腰带、配饰和鞋子，这些衣饰不会太贵。这些鲜亮的颜色会给你的投资带来回报，会给你许多搭配基本款衣服的方法，让衣服每天都焕然一新。这些衣饰也是你冲动购买的好选择，你不用花太多时间思考如何搭配。在深色和中性色的外套上增加一点亮色，你就可以出门了！

同一色系色彩的力量

—

与颜色鲜艳的衣服相反的是同一色系的衣服，也就是说，一整套衣服都是同一种颜色，但颜色的色值不一定相同。卡其色的同一色系可能包括奶白色和棕色，这三种颜色都是一个色系的，只是深浅不同而已。

将同一色系的衣服搭配在一起，仿佛这些衣服本来就应该搭配在一起，这样的装扮非常低调优雅。如果衣服的材质非常好，而且衣服本身的质量非常好，这样的打扮就很容易出效果。将同一色系的搭配在一起能够让不贵的衣服看起来也很奢华。这样的搭配通常都是用中性色，但是鲜艳的颜色也可以这样大胆地搭配，会吸引很多目光。

如果你打算选择同一色系的衣服，一定要考虑到衣服的质地和金属成分。全身的衣服都是灰色，可以考虑搭配亮晶晶的吊带衫或者丝质吊带衫，从而让人眼前一亮。这样搭配的目的就是，让你的衣服出现很多变化（不管这个变化来自色调还是材质），而不是制造出一团无法辨识的乱麻。

黑色如何穿

一

关于黑色，你需要知道的第一件事就是，黑色是非常有震撼力的颜色，它散发出最强烈的信息，它是简洁的本质。黑色是一个非常饱和和严肃的颜色，能够消除所有干扰，让所有的目光都聚焦到衣服的最基本因素，如剪裁、款式、褶饰、面料，以及衣服主人的性格。黑色能够使穿着者从背景中凸显出来，就好像打了追光灯一样，突出穿着者的脸部、身形以及露出来的部分。黑

颜色的灵魂伴侣

有一个捷径可以帮助我们找到适合自己的颜色，那就是找一个跟你长得相似、发色相似、肤色相似的影视圈名人。那些经常出现在电视里的人都会让造型师、顾问仔细挑选适合他们的颜色。留心她们都穿了什么颜色的衣服，然后自己也试试那个颜色。如果那个颜色适合美国女演员凯蒂和美国脱口秀主持人奥普拉，很有可能也适合你。

色性感、前卫而神秘，它是夜晚的颜色，是我们在重要关头的都市面具。如果某个场合需要我们光彩照人和展现品位，我们会选择黑色的优雅的衣服。黑色还有一个无以伦比的作用，黑色能够显瘦，仿佛我们参加了一个月训练营一样（但是并没有任何苦痛）。

虽然黑色曾经被可可·香奈儿这样的人推崇为前卫的象征，但如今黑色不再那么前卫，仅仅是一个中性色而已。我想让黑色回归它原来的位置，免除对它不公的惩罚。首先，我介绍几个不能穿黑色的情况。黑色不是在任何场合都可以穿的中性色，不是没有含义，不是质地、面料和款式的大杂烩。黑色不是一个让我们隐形不见的斗篷，也不是放松时应该选择的颜色。

然而，很多时候黑色能够让人隐形、不为人注意。当我们不想刻意打扮，或者当我们想消失在背景之中时，如果我们穿了一件褪色的羊毛衫和一条松垮的瑜伽裤，黑色就成了我们随便套在身上的破布袋子。但是要记住，躲藏不是生活。（而且也没有效果，这一点我已经讲过。当我们用颜色、面料或者剪裁来隐藏自己，只会吸引更多人注意到我们与穿的衣服不适合。）由于黑色本身就比较优雅和醒目，用黑色来隐藏自己只会帮倒忙。

黑色是给我们带来惊喜的颜色。只有我们有意识地选择黑色，它才会制造出令人惊艳的效果，就跟我们穿的其他衣服一样。我希望通过这本书告诉大家的一个主要观点是，穿衣搭配不能有漏洞。所有的衣服都有一定含义，黑色也一样，其他颜色也一样。

由于黑色非常简洁、非常饱和，如果有什么需要黑色穿着者更加注意的话，那就是衣服本身。我想说的是，所有黑色的衣服都应该，或者看起来高档。如果看起来不够高档的话，衣服看起来就很破旧。

如果你很疲惫，想隐藏起来（也不想用鲜艳的颜色来调节自己的心情），那就选择颜色比较浅、比较柔和，面料很不错的衣服，让你觉得自己被疼爱着、被关心着。中性色显得安静而不严肃，深色让疲惫的脸看起来更加疲惫。

然而，黑色是非常好的底色，你可以在这个基础上搭配亮色的衣服，我非常喜欢这种穿衣打扮。黑色的外套搭配一种比较鲜亮的颜色看起来会很优雅、时尚、干练，制造出鲜明的、非常抢眼的对比，而且充满了自信，让人知道你不害怕被注意到（因为你有很好的理由）。

金属和矿物：你的首饰和化妆品

—

说到首饰，经典的 WASP 风格（指美国社会中祖先是北欧人，并曾经拥有强大权力及影响力的白人）就是一块简单的银色手表（以及一对钻石耳钉和一大块宝石）。但是我认为，金发女性戴黄金饰品最好看。黄金能够凸显头发的颜色以及肤色里暖色调的成分，我真的希望金发女性能够闪亮发光。有些黄金首饰也适合红头发的女性，黄金能够增强她们头发和肤色里面暖色调的成分，这一点我非常喜欢。虽然浅黑肤色的女性戴黄金饰品也非常好看，我更喜欢她们佩戴银质首饰。银色和头发的反差就好比白色和黑

如何穿不适合自己的颜色

　　理想的情况是，我们永远不穿那些不适合我们的颜色，但是有时我们不可避免地要穿那些不那么适合我们的颜色。也许你已经有几件颜色不太适合自己但其他方面都很不错的衣服，这些衣服也不至于糟糕到想完全扔掉。也许你要在好朋友的婚礼上当伴娘，你需要穿非常不适合你的薄荷绿。（朋友，谢谢你！）

　　在这种情况下，你就需要化妆和首饰来寻求一点平衡。如果你非常喜欢某件衣服，衣服的颜色却不适合你，那你需要突出口红的颜色（在脸上使用强烈的颜色，这是最有效的方法），使用适合你肤色和衣服的口红。你也可以戴首饰，呆板的上衣可以搭配尺寸较大、鲜艳、有活力的项链。

　　随着你不断深入地认识颜色所代表的信息，一定要注意和脸部肤色搭配。

色的反差，这种反差非常强烈，这种搭配很有震撼力。

佩戴什么样的首饰取决于你的肤色，你需要自己寻找到适合自己的首饰。穿上一件白色 T 恤衫，分别试一试黄金首饰和银质首饰，在镜子前仔细观察哪种金属让你看起来更健康，哪种就更适合你。（也许你佩戴两种首饰都比较好看。）

化妆品本身就是关于颜色的传奇，这就是我强烈建议你咨询职业化妆师的原因，尤其是如果你从来没有接受过专业咨询。这是免费体验，你会学到很多小窍门。（学完之后，一定要安排一场夜晚活动来展示你的魅力！）

总体来说，我希望你的眼妆能够做到以下两点：要么通过对比来突出你的眼睛，要么用衣服的颜色来呼应瞳孔的颜色，让瞳孔的颜色更加漂亮。前者可以通过蓝色的瞳孔配棕色的眼影的方法实现，这两种颜色基本位于色谱的两端，如果将这两种颜色同时使用，就形成了大胆、引人注目的反差。

说到口红，你需要找到适合你脸部的红色、粉红、紫红或者珊瑚红，不同的衣服搭配不同的口红。脸上的颜色不要太多，因此一定要遵循经过多次检验的化妆技巧，要么突出眼睛，要么突出嘴唇。

运用起来

—

既然你渐渐掌握了自己尝试过的颜色，那你就应该考虑将所有这些知识综合运用起来，形成和谐统一的整体。首先要知道的是，关于颜色的所有规则并不是固定不变的。颜色就是光线的小把戏，颜色给人不断变化的错觉。所在的环境不同，以及周围的色调不同，颜色也会发生变化。评估某种颜色，一定要把这种颜色放在一定的环境中。

在此，我们要进入更高一层的领域，我要大致向你介绍，色彩是多么变化无常。虽然你已经找到最适合你的颜色，但是颜色不是静止不变的语言，颜色呈现出来的整体效果取决于你如何使用颜色。这就是为什么此时此刻你需要后退一步，观察自己衣服的颜色。

为此，有三个评价颜色的方法：

1.注意你想表达的主要含义。由于颜色专家所说的"同时对比"这一视觉现象，我们对某个特定颜色的感觉会根据这个颜色所在环境的变化而变化。色谱两端的颜色最能够形成互补，比如红色和绿色，黑色和白色，色轮上相近的颜色呈现出细微的差别。你可以通过服装搭配来调整颜色的亮度。多尝试尝试，看看不同的效果。

2.注意你的衣服。人们如何看待某种颜色完全取决于衣服的款式。棕色的运动服可以搭配黑色的紧身裤和棕色马靴，一件极具挑逗意味的、背部开口很低的棕色裙子搭配了黑色鞋子就很乏味。如果这条裙子搭配了一双金色绑带高跟鞋就很有魅力，散发出风趣、性感的信息。一定要注意整体颜色信息要跟衣服风格相统一。

3.注意环境。黑色小西服配银色吊带衫和牛仔裤在纽约东部严肃的氛围和钢铁色摩天大厦里看着很漂亮，在洛杉矶灿烂的阳光、海边和美丽的夕阳里就显得有点严肃。颜色跟环境，以及所处的文化分不开，也要注意它是整体搭配的一部分。

控制信息

一

改变服装的颜色，必须从找到适合自己的颜色入手。既然你已经找到了适合的颜色，那就要学着利用这些颜色，突出你的优势。

最终还是回到那个问题——"它表明了什么？"每次穿衣服的时候，你都要想想这个问题，包括你衣服的颜色。衣服的颜色是衣服为我们"代言"最有影响力的方法之一。

色彩有一种深层、神奇的力量，能够改变我们的心情和情绪，因此，色彩的哲学是一个重要的问题。大公司雇佣咨询师寻找能够让员工开心的颜色，政客们和其他公众人物花很多时间和金钱来选择哪种颜色能够帮他们获得更多的选票，让他们在电视里表现最好。总是有时尚大师在决定每年的流行色，设计师们在流行色上下了很大赌注。

在各种各样的观点和反对意见的汪洋里，以及瞬息万变的潮流中，我们很容易迷失自己。其实，根本没有那么复杂。如果从大的类别来区分颜色（暖色对冷色，亮色对亚光色，深色对浅色），你就能够坚定自己的选择。

从这几条你不能错过的、简单的颜色搭配方法说起，它们能够帮助搭配出你渴望的效果：

如果你希望看起来热情好客，那就选择较浅的中性色，如白色，奶白色或者驼色，这些颜色没有特定的含义，可以随意使用。增加一点较浅的中性色，比较暗淡的颜色就有了生机。你希望自己的衣服看起来"热情好客"的典型场合就是，在某个聚会上，

改变你的服装，改变你的生活

你拥有主导权，而且想让其他参会人员感到舒适；在家中招待客人；第一次约会。

希望自己看起来愉快、有趣、活泼，那就选择暖色和亮色，比如，珊瑚色、草绿色、桃红色和柠檬黄。我们通常被积极快乐的人吸引，因此，看起来愉快、幸福，很有影响力，能够改善你以及周围人的心情。如果你不是参加早晨约会（在这种场合下，你可以增加一点性感，选择中性的珊瑚红）或者非常正式的会议，选择带有一点点愉悦因素的颜色永远不会错。

如果你希望自己散发着引人注目的性感，那就选择深色，红色（性感女性通常的选择）、充满活力的珠宝色，或者有金属质感和光泽的中性色。黑色很神秘、性感，具有瘦身效果。亮片以及丝绸比较吸光，能够吸引人们的注意力，将你变成追求者的目光焦点。

颜色的沟通能力跟环境有关。在正确的环境中，亮黄色是不错的选择。（如深蓝色小西服配亮色丝绸衬衣。这是正确使用亮色的典型例子。）黑色是很有震慑力的颜色，红色和紫色也是如此（比如，政客们红色的领带，以及皇室的典型颜色）。但是在我看来，最有力的颜色是那些能够凸显你的特征、最大程度突出你的优势的颜色。对于金发女性来说，奶白色或者驼色就是很有力的颜色，尽管这些颜色并不代表其他含义。对于浅黑肤色的女性来说，黑色和白色会让人惊艳，选择黑色或者白色图案也可以达到一定效果。这又回到那个话题——一定要了解适合自己的颜色，了解某件衣服所代表的内在含义。

真理小锦囊

色彩评定

　　我需要分析你现在的衣服。下一章开始之前，我会进行这个工作。现在浏览自己衣橱里的衣服，看一看哪些颜色是自己无意识选择的错误颜色。看一眼就知道，不用仔细看，也不用把衣服从衣架上取下来。环顾一下，哪种颜色出现在你眼前。把笔记本放在旁边，记录自己的感受和启示，并且思考下列问题：

　　衣橱里大部分衣服是什么颜色？浅褐色，黑色，棕色，还是无法分类、乱七八糟的混合？找到主要色调后，问问自己为什么会被这些颜色吸引？是恐惧色彩，是习惯，是渴望被关注，还是没有正确认识到哪种颜色适合自己？

　　看着这些颜色，你的感受是什么？如果你的感觉不是"好"，那我们就有事可做了。你会为衣橱里的衣服的颜色感到高兴吗？有没有让你感到高兴的颜色？我希望答案是有！

　　衣橱里衣服颜色是不是最适合你？记录下自己渴望尝

试的颜色。

　　什么颜色的衣服让你获得很多称赞？这一点非常重要。我们往往低估已经熟悉的颜色。有些客户说："是的，我知道我穿哪个颜色比较好看。"却只有一两件这种颜色的衣服。喂！如果你穿某种颜色比较好看，那就多囤积那种颜色的衣服，这并不可耻，而且要经常穿。人们不会认为你是那个经常穿绿衣服的女孩，她们会认为那个女孩看起来真漂亮。

　　你每天都离不开的颜色是什么？你每天都穿什么颜色的衣服？请诚实地回答。我看到很多客户衣橱里充满大胆的颜色，她们喜欢颜色张扬的衣服，却把这些衣服锁在衣橱里，出于习惯，穿了那些比较乏味的颜色。衣橱里的每一件衣服你都穿过吗？还是让它们静静地待在衣橱里占空间？为什么会这样？研究颜色需要一点付出。你是不是只穿中性色，因为这些颜色很好搭配？还是你在等待某个合适的心情惊艳大家？错！不要等待好心情找到你。颜色能够改变心情，从而影响一天的收获。

哪种鲜艳的颜色让你害怕，让你在特殊场合才穿？怎样才能让自己经常穿那些颜色？只要你大胆一点就可以，还是你缺少与之搭配的中性色衣物？如果需要一两件物品来帮助你最大程度地使用衣橱里的衣服，那件物品是什么？是一双裸色高跟鞋？一件深蓝色小西服？还是一件合适的风衣？记录下来。如果都不是，你也不用担心，读完这本书，你就知道自己需要什么了。

色彩的问题非常复杂。有些人天生就很擅长，有的人不太擅长。如果你属于后者，好消息是有很多工具可以帮助你。如果你非常喜欢色彩，请访问我的 Pinterest（品趣志），我为蜜色、鱼子酱色、古铜色和银色头发的女性收集了我喜欢的打扮。如果到处都是流行色，你却不知道如何搭配时，当前的时尚杂志里很可能有很多如何搭配的教程。如果你买了一件衣服，但是对衣服的颜色没有把握，那就问问时尚小伙伴的意见。有时，我们因为非常喜欢某件衣服而忘记考虑这件衣服是否真的适合我们，真正的朋友会告诉你是否合适。

Chapter 5

衣橱大清理——驯服你的衣橱

所有你认为
没有用或者不好看的东西
都不能保留在家里。
——威廉·莫里斯

如果我让你谈论自己的衣橱，你大脑里浮现出的第一反应是什么？激动？感觉充满了可能性和轻松的气氛？感觉自信？

更有可能的是，你的衣橱是一个黑洞，你想都不愿想。然而，我们要做的，就是面对自己的衣橱。在这一章中，当我们开始清理衣橱时，我们要深入了解那间隐秘小屋子最深处的秘密。这件事值得我们去做。清理完后，你会发现衣橱变得干净、整齐、漂亮，不再是那个"年久失修的破机器"。那些不合适的衣服不会给你带来多少好处，只会让你更加颓丧。

分类过程在很大程度上是学习的过程。看看衣橱里到底隐藏了什么衣服会让你真正了解目前的穿衣状态，也提供了一些线索，帮助我们分析你是如何形成现在的穿衣风格的。

我们与外部世界的互动始于衣橱。要改变我们的形象从而改变我们的生活，我们必须从内部开始。我们必须面对自己的衣橱，看看里面到底装了什么衣服，扔掉那些没有用的。

衣橱大清理

—

周围有没有节食的朋友？如果有节食者坚持到只能吃液体食物的阶段，我猜，你一定听过他们滔滔不绝地说让自己饥肠辘辘的感觉非常好，以及节食带来的快感非常神奇。现在你也要开始启用你的"榨汁机"，因为一旦你全面出击，开始清理自己的衣橱，你也会为没有任何负担的全新的生活方式而自豪地哼起小曲。最让你自豪的是，再也没有"枫糖、柠檬汁、辣椒饭"这样的垃圾衣服了。

衣橱大清理应该是一个非常有重点又很平静的过程。这一过程的影响力很大。把那些没有用处的衣服清理出去，让你摆脱每日搜寻"垃圾箱"，让你好好地盘点自己有什么衣服、需要什么衣服。

你能想象衣橱里所有的衣服都是自己喜欢的吗？这种生活完全可以实现。然而，首先要扔掉七分裤以及公司假日聚会上你穿的礼服。

这并不是意味着要扔掉所有衣服。衣橱里也有"宝石"，我们要找到这些宝藏，让它们充分绽放光彩，这样，它们才能更好地衬托你。在清理的同时，要记录你缺少什么。那条合身的犬牙纹宽松裤能否搭配一件飘逸的丝质衬衣？一件羊毛开衫是不是比一件褪色、松垮的黑色Ｔ恤衫更适合你？（答案是肯定的。）如果不合身，那就一定要扔掉。

在你清理衣橱的时候，虽然我不能陪伴你完成这一过程，不能听到你的反馈（我真的，真的希望自己能在场），我强烈推荐你邀请一位时尚小伙伴来帮你。这也是最能发挥时尚小伙伴监督作用的时刻。一双客观的眼睛能帮你在三小时左右（而不是三天）完成这项任务，也会给你带来很多乐趣。

解读你的衣服

—

你的衣服反映出你的哪些方面？它们讲述了你的哪些故事？你希望生活在这些故事里吗？这些故事能够真实地反映你的性

格、目标和渴望吗？它们讲述的故事是不是一二十年前的事，已经不再真实了？如果有那么一件衣服，我们已经拥有很长时间了，这也许说明，我们还在坚持对早该走完的生活阶段不放手。这就是为什么定期清理衣橱很重要。我的很多客户都面临这个问题，衣橱里装满了带褶边的廉价裙子以及在二手市场上买的衣服。这些衣服适合二十多岁的咖啡师，但是不太适合三十多岁的职业女性。或者衣橱里全都是最近买的、从来没有穿过的、不合适的衣服，有的衣服的标签还在。（越是最近犯的错，就越难改正。但是，如果这些跟你现在的状态以及你希望他人如何看待你无关，那就必须要节制。）

衣橱是连接你的内在世界与外在世界的地方，从这里开始，你的个人世界走向公共世界。衣橱的状态不仅说明了你对衣服的看法，而且也说明了你给外部世界留下的印象。你在衣橱里藏了什么衣服？衣橱看起来是不是像一个邋遢的旧货商店？是不是里面全是已经上灰、修理多年的衣服，有折痕的鞋子，变得坚硬的皮带，起球的毛衣，磨破袖口的夹克衫，已经买了十年但你不再穿的短裙？这些衣服都说明了什么？它们是怎样影响你的日常生活的？而且，在这些堆成山的、不合身、不合适、无法反映正确形象的衣服中，也许有"宝石"。但是每天早晨在次品衣服堆里找宝贝是一个浩大的工程，需要很多精力和时间。

如果你担心衣橱大清理让你没有一件衣服可以穿，那我告诉你一个秘密：漂亮的衣服已经在你身上了。这样的可能性很大。我见过无数人的衣橱，我敢向你保证，衣橱里 70% 的衣服你都没穿过。听起来不可信？那我们就来仔细看一看。

完美 10 分的衣服

—

我又要重复我那句格言了：衣橱里的每一件衣服都必须是完美 10 分。不管是鞋子、日常便服、日常裤子、牛仔裤、讲究的 T 恤衫、结构分明的小西服，还是引人注目的鸡尾酒派对礼服，所有穿在身上的衣服都必须是 10 分。这就意味着衣服合身、颜色适合你、款式适合你、衣服所传达出来的信息符合现阶段的你，所有因素一个都不能少。

如何判断 10 分的衣服？

—

你肯定知道一件衣服是不是 10 分，你就是知道。穿上后你感觉不错，想在镜子前打个转，这就是 10 分的衣服；衣服让你获得很多称赞，这就是 10 分的衣服；如果衣服的颜色适合你，合身，款式也适合你，这就是 10 分的衣服。

10 分的衣服不一定是正式场合穿的礼服或者气场十足的套装。10 分的衣服可能是适合你发色和肤色的羊毛套头衫、瘦腿裤和靴子；也可以是牛仔裤、吊带衫和颜色适合你的涂鸦拉链运动衫。10 分的衣服不仅让你光彩照人，还表明了你的价值观。为什么要选择其他不好的衣服呢？我们发出什么信号就能吸引什么，因此，请只买完美 10 分的衣服吧。

衣橱的故事

一

看一眼安娜的衣橱，你会以为这个四十多岁的营养师打算给自己开间旧货商店，不是那种出售精美旧货的寄售商店，而是按斤销售的那种商店。（希望你的衣橱不是这样的。）安娜的身材匀称漂亮，体形很好，性格也不错，但是她的穿衣风格太糟糕了，以至于溺爱她的丈夫都恨不得帮她。（女士们，如果你丈夫央求造型师给自己的妻子找点漂亮的衣服的话，那就让这个充满关爱的男士帮你吧！）

我发现她的衣橱里充满了完全不适合她的生活方式、身形、肤色和性格的各种面料、材质、颜色和款式的大混合，里面有许多高领毛衣和一件彩虹色的紧身夜店裙。听清楚，她的衣橱里有五颜六色的、毫不搭配的衣服，有厚重的高领毛衣（有可能用来搭配牛仔裤和乐福鞋）、紧身裙、草原风格的短裙，我还没有计算与之搭配的鞋子。

进一步深入她的衣橱时，我发现了二十世纪八十年代风格的、有垫肩的套头衫。我知道二十世纪八十年代的复古风已经流行了一段时间，对不擅长数学的人，我想说那些套头衫她已经穿了三十年了，三十年！

跟我所遇到的其他女性一样，安娜是一个有着多面性格的人。一方面，她保守、严肃、成熟；另一方面，她有时准备放松一下，准备去酒吧，也希望能够迷倒几个异性。我再要重复一次，她的衣橱里既有高领毛衣也有紧身夜店裙！我所遇到的很多女性都面临这个问题。她们把"每天"穿的衣服当成"基本款"。她们所谓的基本款就是不用非常好看的衣服，因为这些衣服的作用就是满足自己每天穿着的需求。

你明白我面对着怎样的一位客户吗？

不要把性感、漂亮的衣服只留到跟朋友们晚上出去玩的时候穿！首先，我为你其他的那些日子感到悲哀。其次，晚上出去玩的时候，你会非常渴望性感的衣服，导致你穿得过于性感。从高领毛衣到紧身夜店裙，这个转变太大，带着一丝不真实和豁出去的味道，真实的你自己处于爱斯基摩人和钢管舞者之间。我们要找到一种能够表达出你各个方面的搭配方法，同时还不能让人觉得你刚下火车，或者你在努力扮演不符合你的角色。

保留，扔掉，可能保留

—

让你的时尚小伙伴陪在你身边，准备好笔和笔记本，我们开始清理你的衣橱。从哪里开始？不用想太多。你要一件一件地筛选衣橱里的衣服，从牛仔裤到T恤衫，从裙子到帽子，从鞋子到腰带、包和首饰。所有身上的衣物都要经过严格的审查。所以，从哪里开始根本不重要，从左到右，或者从右到左，随便你。如果你已经按季节将衣服进行了分类，你可以只筛选当季的衣服，剩下的衣服下次再筛选。我推荐你采用这种方法，这样，你的时尚清单才不会像搁在一边的破布袋子，一整季都被遗忘，而你也不会失去清理衣橱产生的动力和紧迫感。

如果你的衣服不是按照季节分类的，那么现在是改正错误的绝

创建自己的时尚清单

　　准备好你的时尚小黑书。整理自己的衣橱时你要随时做记录。这就是创建自己的时尚清单的第一步，简单地记录你需要购买的衣服，以及需要修改的衣服。下一章，我们将要把清单上的衣服和第三章里的那些合并。

改变你的服装，改变你的生活

佳机会。你应该按照季节分类衣服，因为每天早晨你遇到不适合当季穿的衣服越少，找到适合当季穿的漂亮衣服的几率就越大。按季节将衣服精心分类，这个小小的努力能带来很大的改变，让你了解自己喜欢什么，也让你更好地知道衣橱里缺少什么（或者有很多某类衣服）。在没有看到另外那堆不合适的衣服之前，你也许不知道自己冬天有16件套头衫，夏天却只有3件勉强可以穿的吊带上衣。在你和时尚小伙伴开始清理之前，把衣服分为春夏类和秋冬类。（不要纠结于换季时节的衣物，把它们都归为当前这个季节的衣服。）在将衣服按照季节分类时，不用判断衣服的价值，所以应该很快就能完成，你也不会感到很痛苦。

把衣服分成两类后，我建议你一口气清理完所有衣服。也有客户告诉我，她们用了一个星期的时间来清理衣橱。如果一口气整理完一个季节的衣服对你来说有点困难，那这种慢条斯理的整理方法，也许可以帮你克服对衣服的眷恋情绪。也许你不能立刻扔掉某件衣服，那就每天下班回来后都试几套衣服，一点点地淘汰衣服可以让你更好地完成这项工作。试了五次那条五年里都没穿过一次的裙子之后，你就能够轻松地面对现实，尽管你坚持说你喜欢那条裙子。

不管你选择哪种方式，一定要积极乐观地看待这件事。清理衣橱不是让你讨厌和责备自己，你应该面对现实。清理衣橱的主要目的不是把自己当成顾客或者成长中的造型师，而是给自己一个值得拥有的礼物。完成这个过程之后，衣橱里的衣服会让你更加自信。所以，与其问自己"我买衣服的时候在想什么呢"，不如问自己另外一个问题："我穿这件衣服好看吗？"衣服应该让你漂亮，如果不能，那就别穿了！给那些可以穿的人，或者扔掉。

7个习惯让衣橱变得高效

一

怎样决定一件衣服应该保留还是应该丢弃？这个问题不复杂，但是也没有捷径。你需要把衣服一件一件地从衣橱里拿出来，要么穿在身上试一试，要么拿到面前比一比。刚开始的时候，你可能发现穿在身上试一试的情况比较多，然而随着你加速进行这一过程，做决定也越来越容易。

在这个过程中，将衣服分为三类："保留""丢弃""可能保留"。每一件衣服都要符合下列条件，而且要看看时尚小伙伴的意见和你的意见是否一致。

1.衣服要合身。这一条很基本，也很重要。如果一件衣服不合身，要么就扔了，要么拿去改一改，我是说如果值得修改的话。对于那些曾经合身或者基本合身的衣服，也可以采取这样的方法。我不喜欢太宽松或者太紧的衣服。你应该喜欢自己的身体，以及穿在身上的衣服，这是让自己看起来漂亮的最好方法。撇开每月心情的起起伏伏，衣橱里那些需要增肥或者需要减肥才能穿的衣服只会给你的生活和心理帮倒忙。衣服越合身，你看起来就越好看，十次有九次都是这样的。这不是说你不可以穿比较慵懒的套头衫，而是说你必须要考虑比例。如果套头衫慵懒得恰到好处，搭配紧身裤或者瘦腿牛仔裤和一双平底鞋是不是一套很好的周末休闲服？

2.衣服要凸显你的特点。衣服仅仅合身远远不够，还必须（我一直强调这一点）对你的身体和脸有一点好处。首先，颜色是不是合适？是不是突出你的眼睛？是不是与头发的颜色形成漂亮的反差，还是凸显头发的颜色？是不是让你看起来健康而且气色很好？其次，衣服的款式给你带来了什么？是不是突出了你纤细的腰部和富有魅力的曲线？是不是凸显了你做了很多下犬式动作才练出来的肩部线条？你需要的不仅仅是一件能扣得上的衣服，所以一定要想想衣服是否突出了你的瞳孔、肤色、发色、身形等等。

3. 衣服没有变形。衣服是不是已经穿了很久，因此变形了？是不是褪色松垮了？是不是破旧、蛀虫了？如果是的，那就该跟这件衣服说再见了。我经常遇到许多女性一直坚持穿一件很旧的衣服，因为在她们内心深处，她们害怕再也找不到让她们感到舒适的衣服。如今，有很多适合各种身形、肤色、风格和年纪的好衣服，所以没有理由躲藏在破旧、褪色的衣服里，埋藏自己的魅力。一件已经破旧的衣服发出的信号就如同衰败的根，表达出你缺少对自己的照顾，告诉人们你不希望被注意到。我希望你处在欢迎任何目光的状态。

4. 衣服不能过时。我所说的不是今年的衣服和去年的衣服之间的差别。我的目的不是让你去走秀，我希望你穿的衣服符合你的生活方式。不管你的穿衣风格是什么，我希望你看起来是一个对周围世界比较关心的人，而不是一个扎在时光隧道里不愿出来的人。我希望你不要只穿那些简单而老旧的衣服。也许你会认为"我非常保守"。（我知道你保守，很多客户也这样说。）但是你可以在比较保守的同时，也可以看起来跟得上时代的步伐。你可以选择流行的配饰、上衣、鞋子，它们和亮色的效果相同，能够让你的打扮焕然一新，让你变得非常好看。

5. 你最近穿过的衣服。除了特殊场合的衣服之外，如果有一件应季的衣服，你最近一个月或者更久（甚至从来）没有穿过，那就需要找原因。我敢肯定，你一定有答案。是不是衣服不够凸显你的优势？是不是旧了？是不是过时了？如果是的，这些衣服都属于"丢弃"那堆。是不是你没有想出来如何搭配的基本款衣服？想想自己需要哪些衣物才能搭配出一套不错的装扮，然后列到时尚清单里。

6. 穿起来让你感觉不错的衣服。当你穿上某件衣服时，要注意自己的反应。你是缩成一团，被羊毛衫裹得像一朵弱小的紫罗兰，还是本能地双手抱拳，摆出象征权力的姿势？注意自己的肢体语言。有时肢体语言能够比你的大脑更准确地表达信息。当你想到某件一直穿的衣服，不要因为"轮到它"这样的观点而允许它出现在你的衣橱里，你要深入地分析一直穿这件衣服的原因。你穿它的时候感觉如何？它是不是给你带来了很多赞美？记住，我们需要的是不低于 10 分的衣服。

7. 它表明了什么？你应该问问衣橱里每一件衣服这个问题。这个问题的回答让你能够用衣服影响生活的所有情况。如果某件衣服让你觉得这个问题很难回答，那就想想要在什么场合穿这件衣服，为什么会穿它？如果还是觉得很难回答，那就假设它是戏服。谁会穿这件戏服？你愿意扮演那个角色吗？

似乎有很多问答，但其实这个过程非常快，花不了太多时间，每件衣服也就需要几分钟。如果不太确定的话，就把衣服归为"可能保留"这一类。

如果有些衣服穿在身上不好看，那就问问为什么，这也是一次学习的过程。拿出那条你很喜欢却显胖的裙子，想一想是什么原因让你显胖？有时候，我们稍加思考，答案就会立刻出现。也许是因为肩带离得太远，显得你好像没有肩膀。相反，为什么有些衣服显得你非常漂亮？找到其中的原因，这样，你很快就会找到适合你、永远不会出错、永远不过时的购物方法。

借口，借口

一

我们每个人心中都住着一个囤积狂。这个囤积狂倔强、感情用事，而且有着严重的杂乱无章的倾向，让她扔掉一些衣服非常难。所以，如果你在整理衣橱时仍旧保留了很多衣服，不要感到奇怪。囤积狂可能会说："我在城里闲逛的时候才穿这件衣服。"我发现，她所说的"城里"是大家都在漫步的公共场合。如果你穿着前男友的破洞运动衫以及泛黄、不合身的 T 恤衫在闲逛时遇到了认识的人怎么办？更重要的是，如果你遇到了陌生人怎么办？性感的消防员会注意穿着那样的衣服的你吗？不太可能吧。

也许你会说："哦，是的，我知道，我妈妈给了我那件衣服。"我有个疑问，你妈妈也陪你去约会或者去上班吗？如果真的是这样的话，我们还有更重要的事情要做。我需要告诉你母亲，不要再为成年女儿梳妆打扮了。虽然这么做让我很难过，但是我不得不这么做。我认为，出于家庭义务的考虑而局限于一件衣服是不可取的，更何况，这些衣服可能不太能凸显的优势，偶尔的圣诞聚会上你也不能拿出来穿。这些衣服必须扔掉，这些衣服只是在占据你的衣橱空间而已，让你更难挖掘出衣橱里的宝贝。（如果你母亲还想继续讨论此事，请告诉你母亲可以随时联系我，我非常擅长应对妈妈们！）

也许你会说："这是我遛狗时穿的衣服。"你看过浪漫电影吗？

在电影剧本里，遛狗就是结识他人的绝佳时机！不管是单身还是已婚，遛狗就是社交活动的最佳时间。我们用狗来寻找志趣相投的朋友——汪！

也许你会说："这件衣服只要10美元！"我并不反对购买便宜的衣服，我跟你一样喜欢这桩交易，但是我不希望你的衣橱里装满了冲动时买的衣服。不要再继续冲动购物了，这不会让你找到非常适合自己的衣服。我们都喜欢不贵的衣服，但是我希望，这些衣服都是经过考虑才购买的，而且适合你，符合你想要的生活。

也许你会说："我永远不会扔掉那件衣服，那件衣服仍旧合身，我仍旧依恋它。"我经常听到这句话，比你想象的频繁得多。那些过时的衣服也是如此，但是这并不是好事。我所说的是那些从十年级就一直挂在衣橱里的衣服。大概在一九九二年购买的Esprit黑色天鹅绒夹克经得起时间的考验，还没有穿坏，这的确不错。然而，如果将它丢到那堆需要扔的衣服里，我会额外给你点个赞。我敢保证，十年级的学生能买到这件衣服会非常高兴。

也许你会说："那些只是我的健身服装。"仔细看看你们的健身衣服和家常便服，我看到许多我的客户都穿着做家务的衣服去健身。我知道，健身房不是你理想的社交场所，而且，健身时你真的不希望有人注意到你。然而，我一直重复（因为这是真的！），那些"不要看我"的衣服就是那些引起他人注意的衣服，这些注意却并不是因为你穿的衣服好看。想在健身房不那么显眼，那就选择布料光滑、修身和全黑的套装。穿着这样的衣服，即使有人注意到你，也没有什么可羞耻的。更重要的是，我认为注意力会传染。每天都要留心你所穿的衣服，生活的方方面面都需要留心，没有例外。这种方法会自动变成习惯。

也许你会说："不能扔掉那条非常、非常、非常显瘦的牛仔裤！"我们很多人的体重都会有波动，我不反对你在衣橱里保留一两条不同尺码的裤子，应对每月体重的上升和下降。但如果从二到八之间每个尺码的牛仔裤你都有一条；从肥、有点肥、有一点点臃肿、消瘦，到非常瘦（六个月没吃饭那般瘦）各个类别都有一条，我就准备介入了。任何时候都尊重并打扮自己的身体，会让你立刻变得光彩照人。那些饿了几个月才能穿得了的裤子对你没有好处，它们都是感情包袱，会拖你的后腿，会占据你心里和衣橱里宝贵的空间。清除那些蜘蛛网，让阳光照进来吧。

也许你会说："我本来想搞定这件事的。"真的吗？面对现实吧！如果某件衣服已经在衣橱里放了六个月甚至更长时间，等你带它到裁缝那里，我认为，把这件衣服扔掉的可能性更大些。有个例外，如果你有很多非常漂亮的衣服，只需要小小地改动就可以穿，你正在犹豫是否应该把这些衣服扔掉（而不是拖延丢弃那些你知道你不应该再穿的衣服），那是时候把那些拿出来，开始清理衣橱。把7分到10分的衣服改改腰身，把边改到合适的长度，没有什么比这更令人满意的结果。我个人非常愿意改动衣服，这让我有加里·格兰特的风范。

也许你会说："不可能，这件衣服是合身的！"不要把合身的衣服误当成能凸显你特点的衣服。记住，我们所追求的是整个衣橱都装满10分的衣服。如果你学会放慢脚步，有意识、有目的地购物，而不是不动脑筋、习惯趋势地消费，你就会找到合身、凸显优势的漂亮衣服。

鞋子，配饰和零碎东西

当你把衣服从衣橱里拿出来，你肯定会把它搭配起来，看看某件具有争议的衣服是否值得 10 分这样的称赞。如果你想试穿这些鞋子和首饰，可以试试，因为迟早都会穿戴的。

整理完衣服之后，要以同样的热情和专注整理首饰、鞋子、腰带和手包。此时，做决定相对比较容易，尤其是决定是否扔掉那些无法修补的破旧鞋子以及你从来不戴的首饰时。扔掉后感觉好不好？

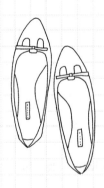

也许你会说："但是我一直都穿那件衣服！"这是女性不愿意扔掉某些衣服的第一大原因，尽管这些衣服明显不能凸显你的特点，而且破旧、不合适。也许，那件长款、悲伤、下垂的羊毛开衫你一周要穿几次，但是你会扔掉吗？在你内心深处，你知道某件衣服不太合适，但你觉得离不开它，这点我能理解。也许，没有了那件羊毛开衫，在寒冷的办公室里，你就缺少一件轻薄的衣服。我们通常对那些经常穿的衣服有感情依附，因此很难对它们说再见。深吸一口气，我们不会让你一无所有。我的目的不是让你没有衣服可穿，而是让你在那不怎么样的衣橱里找到漂亮的、能凸显你特点的、有用的替代物。

整理每堆衣服，处理那些"可能保留"的衣物

—

如果你仍旧有些害怕丢弃的无用的衣服，回想你清理衣橱时的心理状态。春天，衣橱大清理时，你可能有点强迫症，我也不会感到奇怪。我可以告诉你，我经常看到客户狂躁地把很多不合身的牛仔裤扔到地上那堆小山般的"丢弃"衣服里，然后停下来，对我大声地说："感觉太棒了！"

你和小伙伴整理完最近一季度的衣服，把衣服按照"保留""丢弃""可能保留"进行分类，此时，你要开始对付最后那堆，也是最难对付的那堆衣服。再次一件一件地整理被归为"可能保留"的那些衣服，然后决定是否丢弃这些衣服。也许你仍旧无法做决定，但至少能丢弃一部分，把这堆衣服的数

量减少，之后再次整理就变得容易些。

如果你觉得某件衣服还能穿，却犹豫是否应该把它保留下来，那就把衣服拿出来透透气，并要注意记录自己的心理变化。穿上试试，搭配成 9 分的衣服，看看你那天的感觉如何。是不是充满自信？是不是获得很多称赞？有时，只要出门走十步，我们就知道这套衣服穿错了。有时，我们需要做的是消除我们起初的不安，尝试其他不同的衣服，才能找到非常适合自己的衣服。注意自己的感受，注意人们给你的反馈。一定要学会注意倾听自己内心的声音，对待衣服应该如此，对待其他事情也应该如此。

这种感情依附是不是很美好，让你回想起往事？如果某件心爱的物品跟了你很久，你无法决定是否应该丢弃它，那就假设你此刻在服装店里遇见它。那条领口非常漂亮的盖袖花裙子是否仍旧能抓住你的眼睛？如果你现在不想买，那你现在也不应该穿它。

生命阶段评估

—

注意啦，二十多岁时穿的波西米亚裙裤可能在四十多岁时穿就不再合适了，年轻时你还是一位即兴表演艺术家。同样，单身时在十元店买的裙子，以及为第一次面试准备的套装现在都不再合适了。那堆已经穿旧的 Forever 21（永远 21 岁）衣服怎么处理？品牌的名字说明了一切，那些衣服只适合年轻人穿。

我在客户的衣橱里发现了一条巨大的亮紫色松紧带男裤，客户声称，这是她旅行时穿的裤子。即使有些衣服的老旧痕迹不如这条

说再见

如果那堆"丢弃"的衣服可以装满几个垃圾袋，不要感到奇怪。每次我的客户整理衣橱时都是如此。我们怎样处理那些留下来的衣服？首先，把衣服分为三类或者四类。第一类是整体条件还不错，你觉得可能适合朋友穿的；第二类是整体条件还不错的工装和裙装；第三类是可以穿的，比较好或者很好的基本款衣物和外衣；第四类是破旧、损坏的衣服。

把最后一类衣物扔到垃圾袋里，丢到垃圾堆里，它们应该属于那里。如果你有一个焚化炉，那就更好了，烧了它们，不要犹豫！没人会要那些沾满汗渍、破烂的、发着恶臭的衣服，它们的故事就到此为止。至于第一类，打电话给那些幸运的朋友，让他们来你的家中。至于第二类和第三类衣服，查查当地的组织，比如"为成功而穿衣""援救大军""爱心组织"。

这里需要遵循的一条最重要的规则是，在任何情况下，不要把这些衣服留在衣柜里！尽快把这些衣服扔出你的家门，一旦这些衣服离开你的衣橱，你就会经历第二次衣橱大瘦身！彻底告别吧！

裤子那么明显，如果你的风格在过去十年、十五年甚至二十年都没有改变过，那你就需要重新评估自己的生活，也就是我所谓的生命阶段评估。

很多事情会随着时间的推移发生改变。我们的处境、我们的职业、我们的生活方式、我们的身体、我们的开支都会发生变化，然而，在很多时候，我们都没有根据不断变化的现实情况及时改变自己的衣橱。在某一时刻，我们找到一个让自己舒适的方式而拒绝改变。因为很多人发现购物、打扮自己这些事很劳心，而且，我们总是对自己的衣服有感情，所以，我们在任何场合下都坚持这个方式。

有时，我们让因变化而产生的复杂情绪主宰自己对时尚的选择。衰老是件可怕的事情。我们处理恐惧的方式之一就是拒绝面对它。我们忽视了身体上的变化，还按照和原来一样的方式处理，不管那些风格是否适合或者凸显你的特点。我们掩盖了身份的变化，不能够呈现出个人和职场上更深层次的变化。

换句话说，如果你还为那个低了三个级别的职位而穿衣打扮，那很有可能说明，你并没有为自己渴望的职位而穿衣打扮。相应地，如果你仍旧按照未来十年、二十年，或者三十年的自己而打扮，那你可能没有为自己想要的生活而穿衣。

至于年纪这个问题，只有一种解决方法：你必须面对现实，承认面容会不断改变这一事实。正如我说，不管你做什么，你都会被人们注意着。用一双清楚的眼睛评价自己的容貌是最好的保险，避免我们状态不好时吸引他人的目光。

没有什么能够像自信那样响亮地传达出来。如果你有确定的把握，能够根据自己的年纪打扮自己，那么现在的你非常优雅、光彩照人、耀眼，这样的生活非常有可能。衰老不只是负面的积累，事实上，衰老给女性带来了新的机会，二十多岁的女性没有的机会。二十多岁的女性穿着波西米亚风格的衣服很漂亮，这些衣服对你来说就不太合适，但是你可以穿那些优雅、有味道的衣服，那些衣服会让你光彩照人。

适当照料和补充衣橱

—

目前为止，我们处理的都是你衣橱里的衣服，都是必须要扔掉的衣服。但是打理衣橱的方式、由哪些衣服组成以及缺少哪些衣服同样能够说明问题。衣橱的状态能够反映出你如何看待自己的相貌以及你所拥有的东西。一大团乱麻的衣橱就是一个盲点或者一个黑洞，也代表着我们生活中忽略的东西。你的衣橱是不是也是这样？因此你的穿衣风格也是如此？

我并不是说，一个高效实用的衣橱就是一个单调的衣橱。我认为，一个健康的衣橱就像一个工具箱，里面应有尽有，随时准备为特定的目的服务。

我希望衣橱首先按类别，然后按照颜色分类，这样，所有裙子都挂在一起，从浅到深，像彩虹一般。裤子、衬衣、折叠好的运动衫和 T 恤衫等都按此方式整理。我们对颜色非常情绪化，因此，这也给我们提供了一条为改变心情而梳妆打扮的捷径。我们选择橙黄色的 T 恤衫，让人心情愉悦，因为我们充满了精力，或者因为我们希望在心情低落时让自己振作起来（我强烈推荐这一方法）。按照颜色和类别整理的衣橱看起来整齐有序，从使用层面和感情层面来说都非常重要。混乱会导致冲动和草率的行为，也让我们找衣服变得非常困难！

怎样才能保证你的衣橱不变回老样子？我肯定不相信"旧的已去，新的就来"的道理，但是可以这么认为，如果你穿的衣服看起来有点旧，不久，它就会变成旧衣服！因此，一年两次换季之际，清点你准备扔掉的衣物。看看衣服的腋窝处有没有明显的汗渍，试一试强力洗（泡在热水中，OxiClean 有神奇功效，能否洗掉取决于衣服的材料），看看能否将它们洗掉；如果洗不掉，那就扔掉它。看看衣服有没有破洞，看看这些破洞是否可以修补？看看衣服是否依旧崭新？颜色是否褪去？表面是否起毛？虽然在周末穿旧衣服这种行为可以接受，但是要注意内心深处那个囤积者不可告人的目的。当她低声说："难道我不能把那件衣服留下来周末闲逛时穿吗？"这时，你要停下来想想后果，你真的想给人留下"褪色"的印象吗？

你的风格地图

—

拿出你的笔记，认真地记录你对自己的认识，在这一章中，以及在这个过程中，将这些认识转化为你自己的穿衣风格地图。

第一步：找出三种最适合你的风格。此刻，你需要从全局出发。下一章我们将讨论你的时尚清单，但是在这里，我们需要大致确定你的个人风格。你首先需要做的事情就是，找到适合你的年纪又有些挑逗、性感的衣服。不管是购物还是梳妆打扮，任何时候你迷失了方向，都可以回想这个目标，问问自己，你所穿的衣服是否让你更加接近这个目标。

第二步：找到你的三大难题。这三大难题可以是非常细小的问题，比如"找一条腰部合身的工装裤"或者"找一套让你感到舒适，同时能够凸显你的优势的周末服装"。在纸上记录下你的难题，这能够帮助你面对这些难题，而不是逃避。购物时要牢记这些难题，一旦找到一件能够帮助你解决这些问题的衣服就立刻买回来。

真理小锦囊

你的衣橱反映出你的哪些信息？

你已经迈出勇敢的一步，将衣橱减少到最少、最精、最高效。这也就意味着，你应该回顾你所学到的知识。这本书大部分篇幅讲的是观察和学会观察。你在自己的衣橱里看到了什么？你的衣橱反映出哪些信息？按照下列的建议进行反思：

注意自己的癖好。我发现，所有的衣橱都有很多某一类衣服，却缺少某一类或者某几类的衣服。还记得安娜的高领毛衣吗？我一直无法理解女性喜欢高领毛衣的原因。高领毛衣说明了什么？在我看来，高领毛衣是女性用来隐藏自己的典型物品，也是我不希望女性拥有的东西。哪类衣服在你的衣橱占据了最多的空间？是羊毛开衫？是裙子？是运动衫？颜色不合适或者尺寸不对的衣服？记录下自己喜爱的衣服类型，寻找其中的原因。

留意自己的伪装。思索一下形成这种偏好的原因。是不是自己双腿很长，所以囤积了很多短裙？这么做很好！因为你在凸显自己的优势。（然而我还是要提醒你要注意短裙的数量是否过多。）是不是希望掩盖腹部，所以囤积了很多男士或超大衬衣？这么做不太好，但是容易理解。重温我的规则：用结构分明的衣服塑造腰线。跟着我重复：修身的小西服，修身的小西服，修身的小西服。你是否已经对小西服着迷？你是否穿了修身的小西服？

看看衣服的颜色。什么颜色的衣服主导了你的衣橱？这种颜色是否适合你？我注意到头发金黄的女性通常喜欢那些适合肤色浅黑的女性穿的衣服，她们却丝毫没有意识到这一点。相反，肤色浅黑的人却喜欢那些适合头发金黄的女性的衣服，完全扭曲了。简单看看自己衣橱里的衣服，你就知道哪些颜色适合你。只是简单地换掉衣服的颜色，你就会经历重大的转变。如果你一辈子都没有找到适合自己的颜色，那就准备大吃一惊吧。颜色非常重要，重视颜色一点也不为过。你选择的颜色除了适合你，还向世界表明了什么？你是不是躲藏在一片单调的大海里面？衣橱里哪些衣服的颜色让你高兴？气场十足的衣服在哪里？

检查衣服的质量。衣橱里是不是装满了垃圾？再说一次，我非常喜欢不用花大价钱的交易。然而，我认为，每个人的衣橱里都应该有几件质量很好的衣服，尤其是第三章里面提到的那些衣服。思考一下是什么原因让你不愿意把钱花在这些衣服上？你是不是害怕犯错误？我就是来帮你少犯错误的！你不敢确定某件衣服是否值得或者是否必要？那就重读第一章。外在的相貌对生活的影响不可小觑，衣服能够帮助我们实现一直珍藏在内心深处的目标、梦想和渴望。如果你知道这个道理，你怎么能漫不经心地对待自己的衣橱？

查看缺少哪些衣服。你是不是已经经历了十七个季风季节却没有遇见好看的雨衣或者风衣？是不是缺少一套好看的周末服装？记录下缺少的衣服。这些缺少不应该也不仅仅是忘记或者忙碌造成的。问问自己原因，在你的信念体系里，是什么因素让你的衣橱缺少了基本款衣服？这个问题在情绪稳定的环境中更容易弄清楚。拿厨房打个比方，如果没有过滤器，或者没有足够大的烧水锅，你坚持不过三年，对吧？但是，我们通常把身份和衣服联系起来，因此，我们通常认识不到一个小问题只需要一个小小的改动（我们找不到上班穿的衣服就是因为我们缺少一条简单的黑色或者灰色铅笔裙，以及几条深色的裤子），相反，我们把它看成一种无法克服的情感问题或者是内在的性格缺陷——"我不是那种上班时穿着漂亮的人。"对你的厨房，你会说这样的话吗？——"我不是那种厨房里有砧板、沙拉搅拌器和好刀的人。"这听起来很奇怪，是不是？

把这个过程当成收集信息的过程。是什么阻碍你呈现最好的自己？你的衣橱会告诉你答案，你只需要聆听即可。

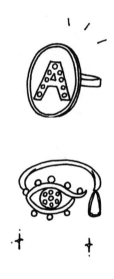

Chapter 6

新的开始——开始购物!

体面的外表
足以让人对你的内心
更感兴趣。
——卡尔·拉格斐

我希望你不要觉得跟时尚小伙伴混在一起很厌烦，你们还要在一起度过更多的时光。终于到了你们等待已久的时刻，此刻，我们要将这些从书上学的知识运用到购物当中。

经过上一章的努力，这一章里有很多乐趣。我这几年帮助客户解决穿衣问题时发现，大多数女性都喜欢购物。虽然她们在购物过程中经常犹豫，买完后又经常后悔，但是她们常常因商场给她们满满的希望、新事物的诱惑以及丝质漂亮裙子的浪漫气息，而失去理智。

只注重浪漫却没有严苛的标准，就会造成你经常听到的混乱的衣橱。现在你掌握了穿衣风格的知识，而且有了穿衣风格的意识，你就可以运用这些知识和意识，将它们转变为实实在在的购物决策，这些决策能够将令人困惑的信息转变成有力的、最前卫的观点。让我们开始购物吧。

时尚清单

—

购物不是一项毫无计划的任务。这次购物将是你一生中目的性最强、最有效率、收获最多的一次购物。在上街购物之前，花点时间整理购物清单。

看看清理衣橱时所做的笔记，将笔记里所提到的衣物添在第三章中的清单里。拿着这个单子，并排列好顺序，回想之前提到的、你需要做的头三件事。你发现自己的衣橱里缺少什么衣服？是不是急需一件适合上班穿的下装或者非常合身的文胸？未来有没有特殊的活动？购物时首先要采购这些衣服，但是也不要拒绝偶然发现的好衣服。有些好衣服通常都是你不假思索时购买的，因为它们的某些品质吸引你。

当你整理清单时，"能够打破灰褐色裙子的黑色宽皮带"或者"各种颜色的塑身衣"这样的物品，可以随时加在清单中。

使命宣言

在此，你需要将所学的知识变成一句强有力的陈述，它能指引你完成剩下的历程，你对自己的所有评价都会凝结成一种认识。你的梦想是什么？是什么让你选择这本书？你的使命宣言会提醒你最初的目的、渴望、希望或者梦想，并将它们同你购买的衣服联系起来。

你的愿望是什么？你的衣服怎样才能帮你实现自己的愿望？按照下列格式，将自己的时尚愿望变成一句简短、朗朗上口的使命宣言："过去，我在职场上一直没有得到满意的职位。我不能再这样下去了，现在我在寻找一些能够帮我获得更高职位的衣服。""我不想再隐藏自己，我在寻找让所有人都注意到我的衣服。""我要学会爱惜自己的身体，仿佛今天是世界末日一样爱惜自己。我在寻找非常合身的衣服，让我不再跟自己说对不起。""我在寻找适合我年纪的同时能让我感到激动的衣服。""我在寻找让我更有女人味、更温柔的衣服。""我在寻找让我散发自信和震慑力的衣服。""我在寻找一件能够帮我找到另一半的衣服。""我在寻找帮我获得理想工作的衣服。"

你的使命宣言是什么？你的使命宣言取决于你现在所处的位置，以及你渴望实现什么。每当你迷惑不解时，就想想你的使命宣言，评估一下某件衣服能否让你更加接近自己的目标。

时尚禁忌

—

基于你现在所学的知识以及衣橱的状况，还需建立一个时尚禁忌的清单。这个清单实际上就是你的弱点清单，就是那些被你看作是保护伞的服装目录。清单上的衣服就是你在无人陪伴时购买的衣服。这些衣服传达不出任何积极的信息，它们只会隐藏你，而不会将目光吸引到你身上。换句话说，拥有时尚风格知识之后，你不可能购买那些衣服。但那些衣服有强大的力量吸引你，所以你需要有意识地努力让自己不要被那些衣服吸引。制定一个明确的标准，比如"绝对不能购买高领毛衣、卡其裤、长袖白T恤衫"（把你的缺点都列下来），让你的时尚小伙伴监督你不要做任何会后悔的事。最终，那些昔日的老朋友就变成了遥远的记忆。在一定的时间里，你需要下点功夫，才能淡化这些衣服在你心中的地位。

勇于尝试

—

试着穿让你觉得不安全的衣服，很多时候，这些衣服能够凸显你从未显露的优势。这些衣服更合身，让你更加性感、更有气场、更加艳丽，让你的风格、体重看上去与过去不同。甚至，这些衣服能够帮你实现所有目标。

这些衣服让你产生哪种恐惧？是时候打消不安和顾虑，展现更自信的、全新的你。或许，你应该下决心买一条中长裙，并且保证在之后的两个星期里一直穿那条裙子。第一次穿那条裙子时，你也许有些不自信。的确，第一次穿出来时有可能这样。穿着它转个圈，如果裙子合身，凸显你的优势，而且颜色适合你，也适合你的年纪，传达出正确的信息，很有可能你一走出房间，就会收到以前从未收到的称赞。相信我，很快你就会觉得安全。

你的预算

—

购物之前，你要估算自己的总体预算。每个人预算都不相同，这取决于个人的财务状况以及所需要的衣服。然而，我坚定地认为，让自己看起来光彩照人并不一定需要很多费用，只要知道什么颜色和风格适合自己即可。拥有了最近学习的穿衣打扮的知识，你可以在任何一个服装店购买任意价格的衣服，只要知道自己穿什么衣服好看。

然而，尽量地省钱并不是说只选择便宜、打折的衣服。有时，接受过时尚知识后花大价钱买的衣服穿得时间更长。按每件衣服的费用计算，这些衣服比那些放在打折架上的衣服划算得多。也许，设计师手袋能让 H&M 的裙子看起来价值一百万。也许，一条一百五十美元的牛仔裤非常合适，能够给你带来巨大改变。（如果 GAP 或者 Old Navy 的牛仔裤非常合身，那就买下来，把钱省下来买一件漂亮的丝质衬衫。）

如果你希望看起来气场强大，那就需要花点钱，但是如果 Theory 或者 Calvin Klein 的套装能够帮你升职或者获得新的工作，那也值得。你花的钱就是一笔投资，会随着时间增值。有时，你需要通过花钱来赚钱。

选一个你愿意投资的领域，不管是衣服、配饰、鞋子，还是妆容。你或许发现美宝莲睫毛膏的效果很好，但是你可能愿意再花一点钱，购买每天都要使用的天鹅绒唇膏。

如果你喜欢某件衣服，让你心里痒痒，但买了这件衣服未来三个月你都得省吃俭用，那就放弃这件衣服。这本书的目的就是培养你的时尚意识。说到钱的问题，我并不是让你扔掉所有的衣服。

在哪里购物，怎样购物

—

第一次购物，选择两到三个地方。一个可以是百货商场，为了省钱，百货商场是最好的一站式购物场所。在这里，你能看到各式各样的品牌，能够满足你对鞋子、化妆品、配饰和内衣的各种需求。百货商场也是你的时尚实验室，给你提供很多机会，让你找到自己喜欢的而且适合的品牌，特别是合身的衣服，比如西服和牛仔裤。在你的预算允许的范围内，选择服务态度最好的百货商场，如果可能，选择非工作时间去百货商场，那时，人流不多，也不太火爆。

额外选择一两个百货商场，商场里有你寻找的衣服：好看且买得起的工作装、质量好的基本款衣服、吸引眼球的个性单品、各种各样的鞋子。每个城市都有一个漂亮的精品店，你能在里面找到仅此一件的物品，在未来的日子里，你会更加珍惜这些物品。如果时间允许，我总是喜欢走进一两座能寻找到超级便宜的衣物的神奇殿堂。最好把最后一站购物安排到那里，这样你就不会沉浸在发现打折的欣喜之中，不会把所有的钱都花在那些填补衣橱空白的有趣物品上。

当心那些给你安全感的服装零售店。我们都有让自己感到安全的服装店——那些服装店让我们感到舒适。衣服的价格合适，款式让我们觉得舒服。我们知道，在这些服装店里，我们能买到勉强说得过去的衣服。如果你遵循我的指导，你也许已经扔掉了一两袋从那些服装店里购买的、安全、无趣、不太凸显你优势的衣服。

对于我的一个客户来说，让她感到安全的服装店就在一个户外零售店，店里所有的衣服都是整套的成衣。她的衣橱里基本上就是那个品牌的广告窗，里面装满了各种各样想象不到的东西，登山靴子、睡袋、正装长裤、套装、裙子、各种各样不能凸显特点的牛仔裤。之所以购买那个品牌的衣服，是因为她家附近有一家那个品牌的旗舰店，就这么简单。在那里，她找到了非常实用的购物方式，她知道那里的布局，知道她需要的尺寸，每次走进去，她都按照同样的标准购买新款。

这种因图方便而进行的购物就变成了无意识的购物。这是我们的安全区域，也就是我们怎样用很多6分或者7分的衣服填充自己的衣橱。是的，我们能够做得更好。基本款或者制服没有什么不好，只要这些基本款衣服和制服都适合你。我不是不让你偶尔光顾曾经常去的店，但是这些店不应该是你的首选。如果你带着按照新标准购买的衣服回家，你的购物经历与以往不同，你会发现，旧爱不能带来以前的作用。相反，你也有可能在角落里面找到以前从来没有发现的惊喜。

主动寻求建议

—

虽然时尚小伙伴会帮助你，但如果有可能，要尽量利用经验丰富的导购给你的服务。在大型百货商店和连锁店里，很容易得到这样的服务（经常光顾的小精品店却没有这样的服务）。寻求导购的帮助值得尝试。为了佣金，导购们向你提供服务，让你离开时面带微笑，手里提着满满一袋战利品，这对他们也有好处。不要以为他们只会让你买买买，他们渴望销售业绩的同时，也希望有回头客。因此，如果你第二天提着所有衣服回到店里退货，对他们也没什么好处。

找一个和蔼的导购，告诉他你在寻找的衣服，告诉他你通常什么部位不合身，告诉他你喜欢的颜色。他应该很乐意为你指出正确的方向，并为你推荐适合你身材的衣服和品牌，以及你所需要的尺寸。

在杂乱无章的大型百货商店里不要毫无目的地四处瞎逛。你可以寻求导购的帮忙，问问他们去哪里买牛仔裤，哪里有内衣店。如果你只是漫不经心地浏览商品，瞎逛是一种非常好的购物方法，但是如果购物有明确的目的，这样做你就能最大程度地利用时间。

如果无法寻求导购的帮助，一定要利用时尚小伙伴。天下没有免费的午餐，一定要充分发挥他的作用。如果你需要某个尺寸的衣服，但是却没有人能够帮你拿，时尚小伙伴就是你的帮手。我希望你能够专注在试穿并评价衣服这件非常重要的事情上。你们各自分工，逐个击破，也让他参与评价衣服。他的建议和观点一定要考虑，一双公正、客观的眼睛是非常有价值的。

怎样挑选衣服

一

选择正确的衣服是一种艺术，也是科学。人总是会犯错误的，这就是我们在购买衣服之前要试穿的原因。遵循下列建议，你找到适合自己的衣服的成功概率会更大：

把颜色当成你的向导。 适合你的颜色就是最有效的指南针，能够帮你快速、有效地从迷宫一般的衣架中找到适合你的衣服，也能够帮你排除许多不适合你的衣服、让你浪费时间的衣服、不会凸显优势的衣服。让色轮成为你的向导。浏览整个服装店，寻找适合自己的颜色，挑选所有你感兴趣的衣服，随便拿几件比较野性的衣服。

考虑全身的衣服。不要仅仅拿一条裤子，再选一两件与之搭配的上衣，和一件夹克衫。（每一套衣服都拿一双高跟鞋和一双平底鞋分别试试。）如果你渴望找到适合自己的品牌，也不要担心选择同一品牌的鞋子。这些单品应该能够比较搭配，因为它们传达出同样的美学观点，都是从同一块布上被剪下来的，都是在同一色缸里被染出来的。这些让衣服更容易搭配，实现我们所说的和谐。

寻找上乘的面料。不管是基本款，还是更加华丽的衣服，面料意味着乏味的衣服和漂亮的衣服之间的区别。事实上，相同款式的衣服，只要改变衣服的面料，就能够提升衣服的品位。对于T恤衫，面料意味着衣服是突凸高瘦身材，还是显得又矮又胖。对于下装，面料就是呆板乏味和魅力的职业女性之间的区别。面料决定了一件衣服是容易让人忘记的基本款，还是离不开的经典款。因此，选择非常柔软的丝绸、华丽的羊绒、奢华的羊毛、昂贵的亚麻，不要只用眼睛看，一定要伸手摸一摸。

不要急于评价。仅看挂在衣架上的衣服就推断衣服是否合身非常难，只有试穿了才知道衣服是否合身。一件衣服可能看起来是一块破布，却非常合身；相反，一件衣服看起来非常合身，却可能是垃圾。布挂在衣架上不会好看，你穿着却非常漂亮。为了满足自己的好奇心，你也应该坚持试穿。如果一件衣服的颜色适合你，看起来有趣但是奇怪，你怎样也想不到穿起来是什么样子，穿上它转个圈，否则你永远不会知道。

记住自己的身形。把衣服拿起来，评价衣服的整体样子。衣服是否合身，只要在试衣间试一试就知道。有些东西非常明显。（衣服是否有腰身？衣服是否合身？）如果一件衣服有很多修身的设计，这些设计能够帮你遮盖问题区域，就不要担心。

选择有趣的衣服。你所选的每件衣服都应该有它特别的地方。尤其是不属于珍藏版的经典款衣服（如铅笔裙、直筒连衣裙、套装），它必须有一定的特质让它引人注目。是什么让衣服有趣而独特？有可能是微妙的细节、质地或者夸张的图案，有趣并不总是需要引起尖叫的关注。

大量试穿。客户和我离开试衣间后，导购不可避免地要整理试衣间，但是他们并不介意，因为我们给他们带来了很多生意（以及免费的娱乐）。在服装店里挑选衣服时，一定要知道自己的目标，但是也不要为尝试很多衣服感到害羞。要找到非常合身的衣服，我们不得不尝试很多不合适的衣服，但是我们一定会找到更多适合自己的衣服。

试衣间达人

一

一旦走进试衣间，照镜子非常重要。别着急，慢慢照，留心自己的感受，以及试穿的衣服如何影响你的姿势。那件夹克衫让你站得笔直，摆出拥有权力的姿势，还是让你像桂竹香一样缩成一团？衣服传达出什么信息？你感受如何？总之，要记住你现在要按照新标准挑选衣服，按照完美10分的标准挑选衣服。评价须无情，但也要相信自己的直觉。

如果一套衣服召唤你的名字

不管是有目的的购物，还是和煦的星期天下午闲逛走进精品店，如果有一件衣服呼唤你的名字，并且满足完美10分的基本条件，一定要试穿。因为，有时这些衣服的确会突然出现在我们面前，这些衣服都不止是10分。这些衣服非常合适，似乎完全表现了你自己的性格品质。对于一个客户来说，适合她的衣服就是我们在曼哈顿西村发现的那条飘逸、带有鲜花图案的系带黑色丝绸裙。这条裙子有一种复古的气息，有一种黑暗的戏剧性，又性感又端庄，有一点点意大利乡村的风格。这条裙子成了她最喜欢的裙子，也给她带来很多称赞。

一旦找到这样的衣服，不管它是不是你在那个特定时刻寻找的衣服，一定要立即购买，你一定不会后悔的。

对于单品，尽量尝试三种搭配方法。每一件单品，都要想到两到三种搭配方法。那条束腰外衣能不能搭配一条牛仔裤、一条腰带和一双平底鞋，或者搭配一条紧身裤，或者搭配合身的裤子和一双高跟鞋，再或者冬天时搭配一套紧身衣和一双靴子，这样过冬是不是非常合适？听起来像一个穿搭游戏的赢家。T恤衫配A型短裙和帆布鞋，还是搭配一条牛仔裤，外面再搭上一件小西服？整体就非常有范儿了。

确保昂贵的衣服值得我们花出去的钱。还有其他方法搭配裤子吗？如果你不想购买昂贵的衣服，请求导购的帮助，让他们推荐一些与之搭配的衣服。如果你所在的服装店是一家比较高档的服装店，你不必在那里买。你可以在其他地方购买更便宜的衣服，让裤子变成一条多功能的裤子。

为你的时尚小伙伴走一次秀。走出试衣间，向你的时尚小伙伴展示衣服的优点。正如我所说，多一双眼睛是一件无价的工具。一个人做所有的决定会让人筋疲力尽，有人能与你分担重任能够减轻很多负担。

思考新买的衣服如何与衣橱里的其他衣服和谐地搭配。新买的衣服能否让你立刻想起几件现有的、能与之搭配的衣服？你是否愿意再买一件衣服与之搭配？如果答案都是否定的，一定要放弃它。如果你不知道如何穿某件衣服，自认为某一天你能够想到搭配方法，那就不要买。因为这件衣服可能会一直被放置在衣橱里，你多年也不会穿。

不要频繁地购买同样的衣服。我曾说过，购买一件衣服的复制品（或者类似复制品）非常重要，尤其是深蓝色羊毛衫和百搭的灰褐色平底鞋等基本款，但是不要一直购买相同的衣服以致于无法自拔。如果你喜欢上款式相似的黑色束身衣，想一想是否已经有类似的衣服。

检查衣服是否完全合身。 在开始购物之前，回想合身和成比例的原则。显然，你肯定会检查试穿的每一件衣服，确保衣服像手套一样合适。如果你喜欢一件不太合身的衣服，问问时尚小伙伴的意见，你们是否都认为裁缝能解决这一问题？裤子太长或者腰部太宽，小西服不太修身，这是两个需要改动的衣服的常见问题。

抓住机会。 如果一件衣服非常完美，是毋庸置疑的 10 分，能够完美地凸显你的特点，让你和你的小伙伴都惊叹。不管这件衣服在不在你的欲望清单里，不要犹豫，立刻购买。如果全世界都告诉你，让你买下那条有银色装饰物的大红色裙子（虽然你不知道自己什么时候穿），你就应该买下来！

购物的真理与艺术

—

服装店如此之多，让女性欣喜若狂。这会让她们犯错误，购买不符合自己风格的衣服，扰乱自己的衣橱秩序；也会让她们不断自责，否定所有的可能性，不给自己一丝机会。说到购物，惊恐和自我怀疑都是你的致命敌人。很多客户都跟我解释过犯错误的原因，说她们的购物非常不顺利，希望能够忘记那些不快。

首先，要保持平静。你是购物武士，衣服不会评价你，但你可以评价衣服。在这种情形下，合身与否和品位好坏的唯一裁决者是你，而不是衣服和衣服的设计者。

如果你试了一件不适合你的衣服，不要灰心丧气。理想的情况是，我们都穿为我们量身定做的衣服。然而，现实并非如此，我们的身形和所穿的尺寸各不相同，大量制作的衣服只适合一部分人，而不适合另外一部分，这也说得通。如果一件衣服不合身，那就把它归为"丢弃"那一类，然后继续挑选。如果你发现一家服装店里的衣服没有几件合身，赶快离开这家店，这家店不适合你。（相反，如果你发现某家精品店里的衣服都十分合身，梦寐以求一般，不要害怕买得太多。是的，一定要再次回这家店来买！）

要穿得舒适去购物，要吃饱，不要饿着肚子购物。早餐吃得健康些，如果必要，带上一点小零食。把购物当成一次高考，购物是一项非常耗精力的任务，你希望获得一个高分数。的确，购物让人筋疲力尽。你需要走很多路，做很多决定，在试衣间里做很多波比操（立卧撑）。所以深呼吸，保持冷静，把目光放在奖品上。购物的心态对购物的结果有着重要影响。

潮流问题

一

与我共事的很多女性都不是潮流追随者。实际上，我的客户都畏惧潮流。她们把潮流当成一种火星代码，需要星际解码才能理解。如果你也如此，你可以拍拍自己，偷偷开心，你不跟随潮流，却获得了乔治时尚风格的保佑。因为潮流是来来去去的，而了解自己穿什么衣服好看，了解适合自己的颜色，了解自己的身形，了解自己渴望传达给外界的信息，比知道某时某刻的时尚潮流重要得多。

如果不跟随潮流，会不会看起来跟不上时代？不会的。如今，服装店紧跟潮流，即使你想忽略它也不太可能。而且，也没必要忽视潮流。相反，我希望你看起来非常时尚，但是，我希望你首先从经典的风格开始，然后才尝试适合你的身形、颜色和年龄的潮流服装。合适是关键，潮流必须能够凸显你的优势。如果你的双腿不是你的最大优势，即使到处都是短裙，那你也不能跟随那股潮流。柠檬绿席卷了全国，而你恰好肤色黝黑，如果你不希望自己看起来跟结节一样，那就远离柠檬绿。如果你一定要用柠檬绿色，那就选择柠檬绿的配饰。

网上挑选，线下购买

—

也许你已经猜到了，我并不十分反对网上购物。我知道网上购物非常便捷，很多女性在网上买衣服，不合身的也全部退货。但是我知道，很多人从网上买来的衣服并不合身，而且从来也不退货，因为退货是一个痛苦的过程。这就是你如何积累了一整个衣橱不合适的衣服。

然而，有些衣服完全可以放心地在网上买，比如，配饰、化妆品、首饰、鞋子（特别是你了解某个品牌，而且愿意回购），以及那些穿旧了、你打算再买的基本款。如果你喜欢某个品牌，也知道那个品牌的裤子都十分合身，此刻我破例允许你在网上购买。

打折季另当别论。在过去，你可能认为打折季仿佛是一个乱来乱踩的煤矿灾区，你觉得你不可能毫发无损地离开（拖着肯定无法退货的衣服），你的整个经历将会改变。实际上，说到打折季，你会爱上这本书，尤其是说到抢购。因为你用有力和自信的观点挑选衣服，成功的概率会更高。

抢购打折衣服之前，快速盘点衣橱里的衣服，确定需要购买的衣服。打折季是更换旧衣服最佳的时机。最重要的是，保持冷静。不要因为一件衣服降价销售就降低自己的标准！一件十五美元的衣服也会占据衣橱的空间，所以一定要弄明白这件衣服是否值得在衣橱里有一席之地。也许那件十五美元的衣服能够代替你一直想买的皮夹克，而皮夹克却从不打折。（如果十五美元的衣服不错，那就买下来。）

注意衣服的缺陷。有些衣服因细微的生产错误而打折销售。如果错误真的很小，那也没关系。然而，有时你回到家后才发现，新衬衣上的图案完全歪了。这些不正的图案让你几乎发疯，因而不敢穿。

说到发疯，必须远离疯狂购物，打折季是尝试新风格的好时机，尤其是平时你不愿意全价购买或不敢轻易尝试的衣服。但是，一定保证那些衣服值得你尝试。

警惕数学假象的诱惑。"你节省了347美元"的伎俩特别狡猾有效，让我们觉得自己中彩票了。然而，我们得面对事实：你不仅仅节约了347美元，却花了250美元。要看衣服的总价，而不能只看到折扣了多少。真实地面对自己能够承受的价格，对于衣服来说，零售价只是一个感官价格，即使大减价，设计师和零售商仍旧可以获得相当大的利润，不要骗自己觉得买的衣服最划算。

你的时尚手册

一

此时你还不能觉得厌烦。只有带着战利品回到家中，真正的工作才开始。不要把新买的衣服放起来，希望衣服自身能够撒点传说中的魔法粉末，让你的生活从此光鲜亮丽。相反，你要着手下一项工作：建立自己的时尚手册。这本时尚手册能够帮助你找到搭配战利品的方法。

很多人其实并不需要一本真实的时尚手册。"时尚手册"这一次可以广泛地解释为大脑里收集的目录。然而，经验告诉我，有些人的确需要一本真实的时尚手册。如果你经常为穿衣风格而苦恼，为怎样搭配一套衣服而苦恼；如果你确确实实地讨厌这些东西，甚至不愿意想到这些东西，那么，一本时尚手册可能会改变你的生活。有的客户离不开时尚手册，梅根就是其中一位，她非常喜欢零售的户外用品。我把几个月来购物获得的战利品堆在她的衣橱里，让她学习不同的时尚风格课程，那时，她看起来非常漂亮，自己也感觉很好。然而几个月后，我接到一个电话，她发疯似的说："我不知道怎么办，我知道我已经买了很多衣服，但是我还是觉得没衣服穿！"

她当然有很多衣服穿，只是她本身是一个不知道如何穿衣打扮的人，她记不住为她准备的时尚搭配，也不知道自己可以如何

改变你的服装，改变你的生活

搭配。她是一位需要时尚手册的女孩，仅此而已。因此，我重新为她造型，每一件衣服都告诉她两三种搭配方法，同时也告诉她搭配鞋子、首饰、外套的方法。这一次，我为她照了很多照片。

或许，你觉得你不需要一本真实的时尚手册。但在没有灵感的早晨，看着衣橱里的衣服，脑子一片空白时，你确实需要一点点帮助，你可以简单记录什么衣服搭配什么衣服比较好看。

因此，拿出新买的每一件衣服，把它们都搭配成 9 分的样子（甚至可以搭配成 10 分）。找出一些你已经有的、能搭配新衣服的衣服。拿着这套装扮，仔细解析。那条裤子能不能搭配一件浅色、慵懒水手领运动衫和一双平底鞋，平时在办公室穿？小西服能不能搭配牛仔裤和 T 恤衫？搭配好了照一张照片。夜晚活动时也可以尝试小西服，与之搭配一条合身的裤子和特殊场合穿着的紧身吊带衫。不要就此停下来，再尝试搭配几双鞋子和首饰。我经常发现，没有合适的项链，一套装扮就不够完美，选择项链的结果很可能会影响鞋子的选择。

敢于冒险。你不把衣服穿在身上，就永远不知道一件衣服是否好看。之字形的上衣搭配一条圆点泡泡裙和一双橙黄色的系带厚底鞋。这样的搭配听起来可能有点太冒险，然而我的一位客户最近就这样穿。看，尽情地看吧。这样的装扮太抢眼，你会喜欢其中的乐趣。要奇思妙想，尽情利用那些元素。你刚刚挑选的那条小黑裙很飘逸，有没有一丝妙龄女郎的女人味？然后，搭配一条珍珠项链，一双红色高跟鞋，涂上深黑色眼影和魔鬼般诱惑的唇膏。发挥你的想象力，你会收获很多新惊喜。一件新衣服可能让一件几乎被忘记的衣服重现昔日的光芒，别人给你的衣服有可

拯救衣服研讨会

有没有一件衣服能够拯救你的很多件衣服，然而你还不知道如何搭配？当你不想进行邮件分类或者擦地板时，你可以做的一件大事就是，把那件衣服拿出来，想想如何搭配。穿上这件衣服，然后试试各种首饰、鞋子，以及不太合常理的衣服。有可能衣橱里没有合适的衣服，但是在这个过程中，你会受到启发，突然想到能够与那条裙子搭配的衣服。一件系扣的衬衣搭配一条牛仔裤和一双平底鞋，你总觉得不是那么合适。然而，把衬衣的扣子解开，袖子挽起来，里面搭配一件吊带上衣；或者系一条腰带，把衣领翻上去。仍旧不合适吗？把所有的扣子都扣起来，一直扣到脖子，然后再佩戴富有个性的项链，将下摆塞进铅笔裙里。知道如何搭配了吗？

能突然变成你的新宠。

你的小伙伴每天都为你的每一套衣服拍照，煞费苦心地在Pinterest（品趣志）这样的网站以及Stlybook（虚拟衣橱）这样的应用程序上为你创建网上时尚手册（也可以把照片打印出来，粘在剪贴簿里），或者记录一些意料之外的搭配组合，这样的过程会让你的早晨与从前大不相同。从前，你的早晨混乱无序，现在早晨的穿衣打扮时间变得非常顺畅，完全符合你的心情，符合当天的日程安排。拿起那条千鸟格铅笔裙，你立马能够想到三种与之搭配的方法。

诊断自己的穿衣风格不仅仅对新买的衣服有好处，对处理衣橱里的每一件衣服都有帮助，把它当成打扫房间的一种方法。在此书中，整理你的衣服的确被看成一项家务（即使这件事非常有趣，也不辛苦）。

转型期的服装

一

在最好的环境中头脑平静而有意识地购物固然很好，但是我知道，有时我们必须面对截然不同的新环境，这些新事实让我们为穿衣搭配焦头烂额。

比如，当妈妈就是一个人生阶段的转型期，我了解很多客户如何渡过这一阶段。我的一位客户叫艾米，一位室内设计师。我陪伴她走过她的单身生活、事业的起步、订婚以及结婚。现在，她是一个八周大的婴儿的妈妈。她给我打电话时几乎歇斯底里，因为她从衣橱里找不到一件合身的衣服。与客户见面和参观陈列室之间，她有两小时的空余时间，让我一定、一定、一定要在查理斯街和布利克街的交接处与她见面，带她去买衣服，因为她再也不想多穿一天不合身的裤子，这条裤子让她有一种挫败感。

她需要的衣服必须符合新的生活阶段。在新的阶段里，她睡眠不足，体重不稳定，经常接触易挥发的体液。这个阶段的衣服不可能和她单身或者刚结婚时的衣服一样。那个时候，她可以穿结构分明的裤子、只能干洗的铅笔裙、透明的丝质衬衣，戴长长的精致项链。现在她的生活不仅仅包括尿布袋子和有天使般脸蛋的婴儿，还需要符合她职业女性身份的衣服。解决方法是，买了几条不同颜色、不同水洗程度的牛仔裤，很多不同风格（船型领、V领、短袖、长袖）的柔软、丝滑的抹胸裙，一件下垂的长款运动衫，以及各种颜色的芭蕾平底鞋。之后，她觉得自己很美，而且看着确实也很美。

现在，她不再和广场上那些妈妈们做毫无益处的比较。纽约市的操场气氛比较紧张。现在艾米对自己的外表非常自信。不管在转型期的首要职责和义务是什么，除了漂亮之外，时尚和可爱对她来说也非常重要。我听到太多，也受够了新手妈妈们抱怨自己穿衣失败，我知道她们不在少数，也理解这些转型过程中的巨大痛苦。

我们面临重大变化时会崩溃，不管这些重大变化是体重快速下降或者上升，还是突然的工作变动。不适影响了我们的生活。因此，每当你经历转折，你都要看看自己的衣服是否符合你的身形和生活阶段，这就是为什么检查自己的衣橱非常重要。更重要的是，要看看衣服传达出来的信息是否是你所希望的。

如果你知道这一转型过程只是一个短暂的阶段，那就依旧选择以前的衣服，你可以去廉价商店里逛一逛，看看有没有合适的衣服。

在时光的历程中，慢慢积累衣服

一

带着任务购物，目的是填补衣橱里那个特定的空缺，这种做法让你向前迈了一大步。但是，很有可能你在一个月、两个月甚至三个月内无法让你的衣橱大放光彩。为什么呢？因为，有一种叫意外之喜的因素在起作用，能够影响你找到完美 10 分的衣服。因为时尚风格总是季节性的，所以要解决这一问题，你至少需要一年的时间，因为我们的生活、我们的身体，以及我们的生活状况在不断变化，我们的衣服也必须随着时间不断变化；而且，因为我们很多人都无法承受一次要支付那么多钱，或者无法在那么短的时间做那么多决定。

这也是一件好事。随着时间的推移，慢慢地积累衣服，而不要像真人秀中描述的那样一夜之间突然转变。随着你慢慢积累，你会不断地磨练自己的眼光，培养自己的审美，在购物时和打扮时，都清楚地知道自己的目的。慢慢积累，慢慢来。

Chapter 7

他的全新开始——给你男伴的时尚搭配指南

时尚

只需要几套简单的衣服，

时尚的秘诀在于越简单越好。

——加里·格兰特

运动服装要隆重，

正式服装要低调。

——卢西亚诺·巴贝拉

在此，我要中断我们的计划。我要给你一项特别的服务，它跟重大、紧急的时尚危机有关。这个时尚危机有悖于你亲眼所见的现行时尚准则。此书的其他章节都是个人的历程，而在这一章中，我要保留一点空间，留给那个你了解并且深爱的人，那个极度需要帮助的人：你的男人。

在时尚方面，男人如何犯错误？让我细数一下。经常有人让我介入这一领域，我应该考虑这一桩成套交易，只收取男伴49.95美元！不只是妻子们、女朋友们请求我改造她们的男人，男性也经常趁自己的女人不在倾听时溜到我身边，问我是否能帮助他。很有可能是当他看到你的转变后，他也被新发现的咒语迷惑，希望自己发生转变。也许你在过去已经尝试过这种伎俩，成功的概率有限或者很少成功。我敢保证，你一定渴望知道如何才能将新学到的穿衣风格的知识运用到你的男人身上，给他们带来非常有效的转变。请继续读，但是要注意，在某些情况下，可能会用到诡计以及权术，我相信你能胜任这项任务。

一切取决于合身

–

没有任何一件衣服能够像肥大、褪色十五年之久的牛仔裤和松垮的T恤衫或者马球衫一样，传达出穿着者是一个无用之人这样的信息。让我感到难过的是，这种装扮十分常见。据我所见，穿过大的衣服，绝对是男性们犯的第一大时尚错误。这里，我所指的并不是喜欢宽松西服的倾向，而是说男性们穿了尺寸不合适的衣服，包括裤子、小西服、衬衣、短裤等等。跟女性的衣服一样，如果衣服十分合身，男性穿衣服也会非常好看，能够让我们看到他的身材。

这个问题可能很难解决，虽然合身非常简单，但是问题的根源在心理，男性害怕如果他们的衣服太紧，他们看起来就不够阳刚。在这里，我想对世界上的男性说，在乎自己的外表，穿合适的衣服并不会让一个男人没有男子气概，这只会让一个男人衣冠楚楚，有男人味，而不是显得幼稚和凌乱！如果你的男人害怕有人指责他不够男子汉，从而拒绝选择小一码（或者两码）的牛仔裤，那应该把《广告狂人》或者《007》的幻灯片拿出来给他们看。讨论一下那些像量身定制的衣服，它们十分合身，能够获得9分！（如果唐·德雷柏和詹姆斯·邦德不阳刚，那我不知道还有谁才阳刚！）

我偶尔也会看到男性穿着过紧的衣服，通常都是不断膨胀的肚子以及对这一问题缺乏认识造成的。扣上衬衣下面的扣子，如果你那可爱的啤酒肚已经让你感到吃力或觉得太紧，那么你要么重新买一件衣服，要么去健身。我永远也忘不了一位客户穿着一套超级时髦的、价值五千美元的汤姆·福德的西装，肉却从扣子间的空隙中露了出来的画面……一想到这件事，我就两腿发抖！

细节要正确

—

男性衣服肯定比女性衣服简单，款式、风格、图案、颜色、衣服的类别也少很多。但是，在男性服装的世界里，有很多非常具体的规则和细节让人眼花缭乱，如，领带的宽度和长度，袖子的长度，袖口的存在或缺失，小西服的扣子应该扣起来还是解开，衣领应该扣紧还是歪斜着，袜子的颜色、鞋子的颜色等等。除非你的男人真的对时尚感兴趣，否则你们两个都需要别人的帮助。就像为自己添置新衣一样，你需要找一个和善的导购，让他（或者她）帮你挑选西服。

暂且先不提西装的面料，衣服全都取决于是否合身。不管面料有多漂亮，如果西服太大，也不会好看。这就是为什么我做的第一件事就是给你的男人选择正确的尺码。跟你的衣服一样，如果能显出他的身材，衣服就会十分好看。要知道，大多数西服都需要一定程度的改动，不管是把袖子或者裤子截短，还是收腰。这时就需要一位好裁缝，不管裁缝在百货商店里，还是有自己的店，你需要他的帮助。

如果你的男人由于身形问题穿不了成衣，那就选择定制西服。很多新款定制没有过去的预定西装昂贵。而且，如果只有这一种方法能让他穿上合身的衣服，定制肯定也值得。

衣橱大清理的重要性

—

除了合身问题，我在男性的衣橱中经常发现的一个问题就是，他们拒绝更新自己的衣服。男性讨厌更换衣服，很多人根本不愿意考虑穿衣服这件事，更别提购买衣服。因此，他们一直穿那几件衣服，直到它们破得无法修补。"反正都破了，为什么要修补？"这就是他们的思维方式。

囤积衣服和显著的疏忽非常普遍。一位客户的丈夫极度喜欢囤积衣服，衣服多到挡住了她到衣橱的路。如果我能说服她丈夫扔掉一半衣服，她同意给我奖励。（当然，我成功了。）

一次，在一位律师的衣橱里，我发现一个令人厌恶的现象，几乎所有衬衣和领带上都有油渍。这已经不是老旧磨损的问题，而属于邋遢的范围。即使我用不是室内说话时的音量冲他大喊，他依然还是要申辩，就像任何优秀律师那样，说："西装非常贵，而且它还很合身。""有些衣服还非常新。""不管怎样，我认为不会有人仔细到能注意到油渍。"我很乐意告诉他，事实上有人会注意到。评审团仔细思考后，甚至可能回过头来判定被告有罪。

好消息是，因为男装没有那么复杂，选择的余地也少一些，一旦你把不好的扔掉，添置一些好的，很容易迅速提升他的穿衣品位。

正如清理自己的衣橱一样，出门购物之前，你要小心地引导他进行衣橱大清理。你不可能说服他穿上每一件衣服试一试，但是一定要把每一件衣服都拿起来看一看，评价一下，列出他所需要的衣服。这个过程不太可能让他像你一样情绪激动，因为，我们不会给男人的身体同样的压力，因此，他们对待自己衣服的感情不会太复杂。但是，对于那些他从大学、甚至高中就开始穿的T恤衫，你可能会遇到一些反抗和感情包袱。男士们有时也非常敏感！

度周末的男性

一

一定要在这方面快速消除他的抵抗情绪，因为找到一套你的男人可以接受的休闲装扮非常重要。在这方面，很多男性都做得非常失败，穿得好像生长过快的青少年。周末，他们不用穿结构分明的工装，他们把周末完全看成"个人时光"的城堡，在这个城堡当中，他们的懒散完全释放出来。此时，带有蜜蜂图案的乐队T恤衫全部出动，最可怕的是，有褶裥的卡其裤，XXL号的短裤、牛仔裤和运动衫。放松吗？浪漫吗？

褶裥裤分为各种各样让人讨厌的种类。关于它，可以写一整章，但是我尽量简短：褶裥裤，尤其是便装裤子，全都应该从这个世界消失！至少，只有最苗条、最时尚的男性才可以穿。褶裥裤有一种复古的感觉，一种盖茨比风格，这种风格需要特定的身形以及很高的时尚指数，在这件事上一定要相信我。平面和褶裥这两股潮流来来去去，但是对大叔年龄的男性来说，褶裥不是合适的时尚风格。

男性选择宽大的周末衣服，通常把舒适当成理由。此时，你可以让他去服装店里试一试合身的裤子，他就会明白自己的穿衣方法不正确。虽然整套衣服让他看起来更挺拔，但是完全合身的裤子不应该不舒适。说到裤子，为他找到至少一条性感、合身的牛仔裤才能离开。在试衣间里随意指出他的长处和不足，让他明白你的观点。

纪念物的诱惑

—

T恤衫、长袖运动衫、以及毛线衫是男性衣橱里另一种常见的问题。依恋情结通常是造成这一问题的主要原因。女性抱有不切实际的幻想，拒绝扔掉那件给她带来很多坏处的紧身衣。同样，男性坚持保留乐队T恤衫和演唱会T恤衫，仿佛能抓住逝去的青春时光一样。男性喜欢囤积可穿的纪念物，不管这纪念物跟音乐或者体育有关，还是跟大学有关。

在你没有取得进展之前，这就是你可能需要放弃的地方。一旦他发现穿着合身而且颜色合适的成人T恤衫、水手领羊毛衫好看得多，他也许就能准备好重新看待那些十分幼稚的T恤衫和拉链连帽衫。

在运动系服装上的分歧尤其棘手，他属于死也不退让的情况，所以，你要小心对待。起初，你可以建议他限制穿运动纪念服的场合。比如某场特定的比赛是穿着队服和帽子的最佳场合，少年棒球联合会比赛也是很好的场合，但是和父母一起吃早午餐，或者与财务顾问面谈呢？不是太合适。

男人最喜欢能够让他们想起休闲活动的周末服装，以及让人想到度假的花衬衫，和比赛相关的队服、帽子、T恤衫以及运动衫。改变他们的根本办法就是，找到他们度假时可能穿的休闲服装。休闲服装必须符合高档奢华度假村的场景，而不是经济不景气时的6号汽车旅馆。可以考虑合身的百慕大式短裤和颜色适合他的亚麻衬衣。如果他犹豫不定，让他把唐·德雷柏（美剧《广告狂人》的主角，穿衣很有品味）当成自己的榜样。

你需要做的就是更新他的招牌休闲衣服。如果他喜欢运动装，那就选择一双好看的运动鞋，几件面料较好、色彩凸显他特点的T恤衫，设法提升他的着装标准。用一条合身的卡其裤和一件好看的条纹衬衣，或者一条新牛仔裤搭配合身的羊毛衫或者棉质运动衫，一块潜水手表，一双沙漠靴，以及一件小西服，让他慢慢地走出自己的舒适区。如果他喜欢牛仔裤和T恤衫，就在外面搭配一件摇滚风格的皮夹克。

为特殊场合而打扮

—

婚礼、鸡尾酒派对、圣诞聚餐、庆祝性早午餐，自古以来，这些场合就让人很头疼。为这些场合穿衣打扮也不是男性的特长，原因可能是，这些场合需要额外的注意和筹划。对于自己的衣服，他们通常不太注重，也不会搭配。大多数男性都穿制服，工作时一套，周末一套，除此之外的其他场合会让他们感到恐慌和困惑。

鲜艳的颜色

听到我喜欢穿樱桃红的小西服，你也许不会感到吃惊，因为我在时尚界工作，而非金融界。所以我知道，对于金融界的男性来说，色彩是个不小的挑战。我知道，在大多数男装中，色彩仅限于在衬衣和领带上，而且种类非常有限。如果一位男性不喜欢色彩，或者所处的工作环境只有蓝色和偶尔系的红色领带符合标准，这位男性只选择那些基本款完全没问题。白色衬衣配深色西服是美的经典，然而，应该试着鼓励他周末尝试其他颜色的服装。周末是他表现自己的好机会。

不管他的工作环境如何，以及他对待色彩的态度是什么，要特别注意向他介绍适合他的颜色。翻到第四章，与他分享色彩相关的知识，记录适合他穿衣风格的颜色。一定要保证他拥有几件颜色能够突出他的眼睛和头发、提亮脸部的 T 恤衫。

如果他喜欢色彩，那就选择给他一个以色彩为基础的服装大改造，把他的衣橱装满让他光芒四射的 T 恤衫、运动衫、衬衣、领带和夹克衫。

随着你逐渐提升他的衣服品位，慢慢弥补显而易见的空缺和弱点，为那些场合的穿衣打扮会变得越来越容易。对于重要的社交活动或者工作交际，如婚礼和重要的面试，温柔地鼓励他提前思考所穿的衣服。这样的话，如果需要购买新衣服，也有一定的时间。

鞋子问题

—

我认为，人靠鞋装。同时鞋子也能毁掉一个人。我们必须面对：也许你已经准备好扔掉他的所有鞋子，所有也就两双。男性的鞋子品位最差。不管是一双完全过时、磨损的乐福鞋（通常都是标准的黑色或者棕色），还是一双笨重的多功能运动鞋，男性养成的鞋子上的习惯很难改掉。

准备投资一大笔钱，为他购买各式各样的鞋子，然后提醒他换鞋子，不要总是穿同一双。如果不知道买什么鞋子，那就选择经典款。一双漂亮的小山羊皮乐福鞋简单又好看，尤其是当你不愿意花太多时间思考此事时。他的衣橱里也应该包括一双漂亮的运动鞋、最新款的乐福鞋、船型鞋、靴子以及几双你觉得好看的人字拖。可以选择彩色的鞋子，在春季和夏季，橙红色或者淡蓝色的多克斯鞋（美国男装品牌，从卡其裤起家）能够衬托卡其裤以及方格衬衣。

当你忙着帮他整理衣服时，大胆地扔掉环绕式太阳镜，给他买一副时尚的眼镜架式的太阳镜。和手表一样，好的太阳镜是一件能将所有衣服统一在一起的配饰。

修剪毛发的重要性

—

哦，我拯救了谢顶的男性们。这个话题很难开口，但是不得不开口。

听着，男性们不愿意承认自己谢顶。谢顶是一件让人羞于启齿的人生大事，人们会因此对自己的年纪、吸引力，甚至男子气概感到焦虑。很多男性对这一问题置之不理，也不愿意直面去解决它。因为，在他们的生活中，没有人会牵着他们的手，陪他们完成这一让人脆弱的转变。也许应该是你开始出面解决了。

如果你能看到他的头顶显露出来，在这种情况下，你应该慢慢地拿出马特·劳尔（美国国家广播公司《今天》栏目的主持人）剃发之前和剃发之后的照片。从照片上能看出修整过的头发，剃了发、剪短了也能十分性感，头发稀少再也不是问题。永远不要成为那个拒绝承认自己谢顶的男人，成为剃了头的自信男人更好。在此强调，这需要你接受现阶段的生活，充分利用自己拥有的一切。躲避对男人来说也同样无效，就像躲避对女人来说无用一样。

一旦经历了第一次剃头，往后就是不断维持。根据头发的长度，你可以买一个电动剃刀，他就可以自己剃头。然而，很多剃头的男性，尤其是剃得很短的男性，喜欢像以前一样一周一次或者两周一次去理发店。

特别是头发非常短的时候，要修整面部的毛发，这点至关重要，也适用于所有男性。因为男性不需要化妆，所以一定要让他养成修剪头发的习惯，这样才能有重大转变。剪掉所有面部毛发，或者带他去理发店，把他的胡须修剪整齐。不用多说，不管他

为存在感而穿

一位普通的男性没有犯重大的时尚错误，却通常犯了降低自己影响力的"罪过"，因为他彻彻底底是一个时尚小懒虫。大多数男性很少思考衣服给他们带来什么，在接受程度上，他们通常追求一个6分就够了。看起来还可以，或者可以接受，或者够好（甚至只要干净即可！）基本上概括了所有男性的想法。因此，说服一位大男子主义的男性多关注一点自己的外表，就像哄小孩子吃一盘菠菜一样困难。

如果你实在不想看着自己的爱人成天穿最无趣的衣服，试着向他灌输一些此书开头提到的观点。此时，你的目的不是让你的男人的穿衣风格变得更加有趣，以至于登上搭配高级女装一样的巅峰。我所说的是，利用颜色、图案和衣服的质地来突出他的存在感。根据场合的不同，存在感的含义不同，意味着休闲时他也可以成为整个房间的焦点；意味着在会议中因着装能力不断提高，魅力四射，从而获得了想要的结果；意味着和岳父岳母一起吃一顿非常和睦的晚餐。谁不希望这样呢？

是否谢顶，他会非常乐意有人手把手地教他如何打理出更好看的发型。他的造型师应该和你的造型师一样看上去有才华。

当我们说到修整毛发这个问题时，一定、一定、一定要照顾其他身体部位，带他去美甲店，处理手上和脚上的指甲！细节非常重要。如果他的同事发现他的指甲里有污垢，漂亮的衬衣和领带也就起不了作用了。

Chapter 8

崭新的你——展现你所寻求的变化

我将对你完全诚实。此时，在这个美好的夜晚，当你走向你那明亮、闪耀的新衣橱时，不仅你感到心旷神怡，我亦如此。作为一个造型师，能够看着我的顾客们经历这些变化是非常欣慰的。我见证了他们喜悦的惊呼，他们对结果难以置信："真不敢相信居然看上去这么棒"或是普通的"简直难以想象"，甚至有不少人在活动中途离场到洗手间给我打电话，惊喜地告诉我他们收到的诸多赞美。不过，除非你把前后对比照发送给我（强烈建议你这么做），否则我无法完全了解你的变化。我非常期待你这么做，因为看到一个人脱胎换骨的变化，对我来说真的是一种奖赏。

正如本书多次强调的，你的衣橱总是在变化，从不会达到极致完美，而总是随着时间在改变。即便是你对衣橱做的细微改变，也会立刻影响你的生活，这是非常神奇的。

你将会收获相当多关注的目光和赞美的言辞，做好心理准备吧。你精心打扮，人们自然就会注意到的。有趣的是，朋友、同事甚至是不甚相熟的人们总是不会吝啬赞美之词。他们喜欢观察变化，然后告诉你他们的发现，尤其是当他们留意到不仅仅是一两件好衣服，而是一系列巨大的改变时。在他们的赞美之词背后，是他们的疑问：你的秘密是什么（他们想了解，因为他们也想让自己装扮得很棒！），以及是什么原因让你发生了改变？

人们对你的外貌夸赞是因为他们觉得你的生活一定非常顺风顺水。他们不仅是在说喜欢你的衬衫、你的新发型，他们还是在说你看上去更快乐、更成功、更自信了。他们注意到了，并意识了到这背后的重大意义。

听听那些赞美的言辞。通过本书中所学到的东西，你已经能够独立判断那些针对你穿衣风格的评论是否可取，但是听听外在的反馈没有坏处。

我确信，如果不是想寻求改变，你不会阅读本书。即便你认为自己已准备好迎接变化，当改变真正发生的时候，你还是会对所面临的困难感到猝不及防。无论我们多么笃定自己已做好准备，改变总是很艰难的。

你可能会感到不安。如我所说，你会受到前所未有的关注，这意味着当你穿一双新靴子时，人们总会评头论足一阵子。一位顾客最近给我发邮件说，她突然得到了人们很多的喝彩以及嘘声，这从她高中毕业后从未有过。三十多岁的时候，突然被街头巷尾的男人们关注，这感觉怎么样呢？她觉得很棒！这么多年来，她为什么要掩藏自己的美丽呢？作为一名单身女性，她突然受到的关注恰恰表明，长时间以来她都严重低估了自己，无论是内在还是外在。

除了少许不安之外，你会对自己的着装充满愉悦和快乐的感觉，这是自高中以来从未有过的。以前面对穿衣打扮的种种困扰消失不见了，你感到一丝乐趣。当你消除了这么多年以来在尺寸、颜色、风格方面的困扰（并将那些不合适的衣物弃之门外），你会有一种焕然一新的感觉！乐趣越多，你的穿着就会传达越多积极的信息。这是一件极好的事，你可以通过穿衣风格展示强大的气场，抑或是性感迷人的外表。

在更深的层次上，你一定会感觉更加从容和自信。令你百分之百满意的装扮，是开启新的一天有力量的起点。在你踏出家门的那一刻，你会感觉到不一样，在接下来的每一天、每一周、每一月，这种收益将日积月累。

现在，你已经完全领会了穿衣打扮的要义，就如同已经完全掌握了一门有力量的语言，能够改变谈话的方向。这谈话就好比是你的整个生活，从今以后，你的生活由你主宰。

更上一层楼：如何成为一个购物达人

本书中，我一直努力让你摆脱对购物的恐惧，帮你变得更加从容、自觉和自信。当你变得越来越得心应手，像个武士一样创造出自己的风格，知道怎样选择品牌、尺寸和颜色，你就会自然地更上一层楼，你就会变成那个有着最高标准的"法国"女人。一旦你让衣橱摆脱了混乱无序的样子，你就会形成一些习惯来充分指导自己将来的购物行为：

留心自身的问题点。如果你很难找到合适尺码的裤子，就应该随时留意这件事。要求自己试穿，即便你并不喜欢这么做。拥抱意外的惊喜，比如你已经放弃了紧身牛仔裤，却发现了一个刚好喜欢的牌子。但只有愿意试穿，你才能知道尺码是否合适。

总是清楚自己缺少什么。记录一份购物清单，这样你就能及时购买所需的东西。你的黑色羊毛衫的袖口已经开始磨损了吗？列在清单上。你的裸色平底鞋快要报废了吗？那你就要留心了。不要忘记你之前所列的时尚创意，记得寻找那些能拓展你时尚视野的东西。

关注你的时尚短板。生活总是起起伏伏，总会有那么一天你会不知所措，由于不知道该如何搭配放弃了一件衣服。不要就这样放弃，回头有时间再研究一下。或许那件衣服该裁去一部分，或许该买件新衣服来搭配，或许该在别的场合穿。如果这些稍微宽松的牛仔裤让你感觉不够职业，那么何不在周末时搭配修身的背心、T恤或亚麻衬衫一起穿？

找到让你开心的精品店。如果你碰到一家店，里面的东西都像是为你量身打造的，那你就走运了。不要放弃这份幸运，要经常光顾。每个季节都要来看看有什么新品。订阅这家店的通讯，方便随时了解货品的销售情况。如果店铺很小，你能成为VIP会员，那么你可能会受到特别的待遇。比如，你偶尔可能碰到临时减价等等。

随着季节购物（或反季节购物）。虽然人们很容易认为季节购物是商家的伎俩，目的是吸引你每年都去他们店里几次，但是不可否认衣服是需要及时更换的。即将到来的季节变化有效地提醒我们该更换衣服了。当季节就要变换时，盘点下你的衣橱（可能只需一会儿工夫），看看你还缺少什么。当然，反季节购物的做法也对，前提是你能从商家的清仓出售里受益。

擦亮你的双眼。当你越来越关注自己的衣服以及它所传达的信息，你就会有意识地去观察周围的世界。在纽约地铁上，我最喜欢做的一件事就是"30秒衣着扫描"。我总是不由自主地关注这些，当我看到一群陌生人时，总会观察他们的穿衣风格。有些风格很棒，有些差强人意，有些则不忍直视。（相信我，对最后一种风格，我强忍着才没有公开评论。）不久，你也会开始尝试这种有用的、愉快的消遣方式。用你这种新的意识，去公共场合寻找创意吧。如果一个人打扮得很棒，看看具体是什么原因。她灰色的上衣搭配显眼的银色波波头，一条桃色的牛仔裤搭配飘逸的白色羊毛长衫，这看起来怎么样？如果一个人的打扮勉强看得过去，你能否看出让他稍显逊色的原因？随意在心里评判，但也要从这些短暂的观察里寻找可行的建议。有时候杂志插图上的搭配是如此超凡脱俗的完美，却很难应用到现实生活中。

找到一个穿衣偶像。要寻找现实生活中穿衣的灵感吗？忽略那些大多半裸的名人吧，他们跟现实生活相差甚远。寻找生活中的穿衣偶像吧。有没有一个同事的衣服总是令你惊喜，一个朋友的装扮总是让其他人相形见绌，一个你总是夸赞的熟人？在脑中将这个偶像定为标准。下次你在商店或镜子前不知所措的时候，问问自己："梅齐会这样穿吗？"那答案应该就显而易见了。

你那永远变化的衣橱

—

本书接近尾声了，坦白讲我有点伤心。但从某种意义上说，这仅仅是开始，因为你从本书中学到的东西将指导你的整个人生——自我评价，清理衣橱，购买有品质、有特色的衣服。

不论品质如何，所有衣服最终都是要被弃置的。所有纺织品都有保质期，所以我们的衣服总要不断更换。此外，我们的生活总是发生着意料之中和意料之外的变化。为了跟上这些变化，你必须把衣橱看作一个有生命的生物体。关心你的衣橱，而它将十倍偿还于你。

跟我聊聊

虽然我无法亲眼见证你的改变，但如果你需要我的话，我很乐意帮忙。如果你要参加一个重要活动，拿不定主意该穿什么，你可以将备选衣物的图片发送到我的推特或我的邮箱：georgebstyleny@gmail.com。当你走到改变自己的最后阶段时，我非常愿意做你的参谋。

同样，当你疑惑的时候，不要忘记以前的"乔治问答"环节。造型师很喜欢向人们提供时尚建议。我敢保证，如果他名副其实的话，他绝对乐此不疲。

我多次提到过，要一年清理两次衣橱。当本书接近尾声时，我想花时间强调一下这样做的重要性。每年两次或每年一次，你应该按照第五章中列出的步骤清理你的衣橱，看看哪些衣服需要修改，哪些需要更换，哪些需要弃置。如有必要，参照让衣橱变得高效的 7 个习惯。

每当换季的时候，你就要这么做。而且当衣橱空间不够，无法容纳所有衣物时，你也需要整理衣橱，把当季的衣服摆在更显眼的位置。如果你居住在一个四季如春的天堂，那么也要至少每年整理两次衣橱。

除了一年两次的整理，如果你注意到一件衣服已经过时或已经不再适合你，你随时都可以将它移出衣橱。定期清理衣服，会让你感觉非常棒。当你从衣橱里清除这种衣服，你不是在浪费，而是在给自己奖赏。就如同一个负责任的厨师，总会确保他的冰箱和食品柜里不会放置变质的食品、剩下的残羹冷炙、因过期而无味的调味品，你给自己一个快乐实用的衣橱是非常负责任的表现。恭喜你！

不要满足于任何低于 10 分的装扮

—

生活中永远不变的，就是那条变化的曲线。无论你多么有意愿、有决心用本书中所列的方法来改变自己，在生活中你总会经历一个低潮期，这个低潮期也会表现在你的衣服上。

这时候，记住我教你的技巧。如果你情绪低落，穿那件颜色鲜艳的衣服吧，它拥有能改善情绪的神奇魔力。如果你受不了浓妆艳抹的面孔，给自己涂一个鲜亮的唇色，扎起马尾辫，今天就到此结束吧。记住你给自己的承诺，回头看看你在小黑书上写下的宣言，问问自己做得是否正确。

在情绪最低落的时候提高对自己的要求，这似乎像是某种程度的自虐和惩罚，但绝非如此。由于衣服能有效地影响我们的情绪，从而改变我们的经历，所以在情绪低落的时候，有意识地穿衣打扮是给自己打气的最好的方式之一。

注意不要退回到原来的舒适区。那些旧衣服看上去不是很糟糕，但也没有为你增光添彩。总要问问自己：装扮得是否达到了完美的 10 分？如果你觉得自己装扮得毫无生气，问问自己是为什么。你想要掩藏什么？你自己是否意识到了什么？你有很好地照顾自己吗？吃得好，睡得好，做了足够的锻炼吗？你有没有适时给自己放假？虽然一件漂亮的衣服和一些美艳的颜色能治百病，但有时候女孩子总需要休息一阵子。（一定要在休息期间放松，穿手边最奢侈、最舒服、最漂亮的休闲服和家居服。）

最重要的是，要铭记完美 10 分法则，你的最终目的是永远不要装扮得低于这个标准。在学习了这么多之后，你怎么会那么做呢？

记得每天都要有意识地穿衣打扮

—

人们认为时尚是一个能随意开启和关闭的开关，本书的最大目标之一就是让你摒弃这种想法。这是好多人的想法，导致衣橱漏洞百出、混乱无序，导致人们无法培养美感，以至于当我们想努力装扮自己的时候，却找不到救命的稻草。

熟能生巧。此外，更重要的是，多次练习最终会养成习惯。小提琴艺术家不是通过演出前的临时抱佛脚而成为大师的。他们每天都练习数小时，所以当他们走上明亮的舞台给众人演奏的时候，就完全凭感觉了，他们的乐器就像是自己活了一样。我想要你达到这种境界。

你或许有过这样的经历，当你没有养成健康饮食的习惯，做起来似乎特别困难，而一旦你养成了习惯，每天都这样做，就轻而易举了。这个法则在我们生活的方方面面都适用，用心养成的习惯和坏习惯一样都难以改变。因此，对于你的穿衣打扮，我希望你能严格要求自己，天天都坚持如此。审查你的旧衣服，审视你那随便的穿衣习惯。

开始时，这会很有挑战性，但希望它是一个有意思的挑战，然后慢慢变得越来越容易。

学会享受

—

请让我最后再给你一点建议：不论你的主要目的是看上去更有气场还是更性感迷人，如果你更享受穿衣打扮，那么我们就成功了。不要过于担忧，在购物和装扮的时候，要保持轻松愉悦的心情。要试试不太像自己的打扮，别担心，去大胆尝试吧！将你的衣橱变成一个快乐的领域，它传达出来的积极的信息会照亮你的整个生活。

如我所说，衣橱里的衣服每年都要不断更新，这将是一个持续一生的过程。因此，学着喜爱它吧，这是生活的一部分。不要觉得花费在衣服上的时间、金钱和精力是种浪费。你不能赤身裸体，那是违法的。因此从法律上讲，你有义务购买和穿衣服。所以，衣服最好是选最棒的，才能配得上最棒的你。

[致谢]

写一本有关自我探索的书，我需要感谢所有在我学习和探索的道路上帮助过我的人。我要感谢我的老师们，这么多年来开阔了我的视野和心胸。尤其是派翠西亚·莫雷诺，她教导我要学会感激、学会观察。对于我在西蒙与舒斯特公司的同事，我深深地感谢珍·伯格斯特龙和翠西·博奇科夫斯基的鼓励、信任，感谢埃琳娜·科恩保证我们都按时完工，感谢我的代理人法雷·沙斯如此慷慨宽容，感谢合著者萨凡纳·阿舒尔的耐心和智慧，感谢我的设计师朋友罗兰多·桑塔纳的杰出作品，感谢化妆师阿曼达·特森如此专业，感谢安德里亚·米歇尔，他从该项目一开始就是我的守护天使。我想要感谢那些无条件爱我和支持我的朋友……在此就不一一列举了！最后，我要感谢我的约翰，他是全世界最爱我的人，我还要感谢我的家人，尤其是我的妈妈，是她教会我关于风格和时尚的一切，更重要的是，是她教会我如何发现并喜爱真正的自己。

My Fashion Note

图书在版编目（CIP）数据

改变你的服装，改变你的生活 /（美）乔治·布雷西亚著；红霞译 .—北京：北京联合出版公司，2016.8（2018.3 重印）

ISBN 978-7-5502-8386-2

Ⅰ.①改… Ⅱ.①乔… ②红… Ⅲ.①服饰美学 Ⅳ.① TS941.11

中国版本图书馆 CIP 数据核字（2016）第 192901 号

CHANGE YOUR CLOTHES, CHANGE YOUR LIFE: because you can't go naked

Copyright © 2014 by George Brescia

Published by arrangement with Chase Literary Agency, through The Grayhawk Agency.

改变你的服装，改变你的生活

作　者：乔治·布雷西亚		译　者：红　霞	
责任编辑：崔保华		特约编辑：程彦卿	
产品经理：周乔蒙		版权支持：张　婧	

北京联合出版公司出版

（北京市西城区德外大街 83 号楼 9 层　100088）

北京联合天畅发行公司发行

北京旭丰源印刷技术有限公司印刷　新华书店经销

字数：168 千字　787mm×1092mm　1/32　印张：8

2016 年 10 月第 1 版　2018 年 3 月第 12 次印刷

ISBN 978-7-5502-8386-2

定价：45.00 元